Eruit!

Marion van de Coolwijk

Eruit!

Uitgeverij
De Fontein

Soms moet je veranderen om jezelf te kunnen zijn.
– vrij naar Olaf Hoenson

www.marionvandecoolwijk.nl
www.defonteinkinderboeken.nl

© 2014 Marion van de Coolwijk
Voor deze uitgave:
© 2014 Uitgeverij De Fontein, Utrecht
Omslagafbeelding: Getty Images en Miriam van de Ven
Omslagontwerp: Miriam van de Ven
Grafische verzorging: Text & Image

ISBN 978 90 261 3623 8 (e-book 978 90 261 3624 5)
NUR 284

Hoofdstuk 1
Onbegrijpelijk

'Het werkt niet, sorry.' Kirsten glimlachte en legde haar hand op Mees zijn schouder. 'Het ligt niet aan jou, echt. Je bent de liefste jongen die ik ken. Dat weet je toch?' Ze slikte. 'Maar het voelt niet als...' Ze wachtte even. 'Als verliefd of zo. Begrijp je?'

Mees zweeg. De woorden van Kirsten kwamen als een mokerslag aan. Maakte ze het nu uit?

'Zeg iets.' Kirsten liet haar hand zakken.

'Wat wil je dat ik zeg?' vroeg Mees.

'Dat je het ook voelt. Dat je begrijpt wat ik bedoel.'

'Wat?' Het klonk aarzelend. Alsof hij zich schrap zette voor de *final countdown*.

Kirsten beet op haar lip. 'Luister, ik heb al genoeg shit thuis. Ik kan het er nu gewoon niet bij hebben, oké? Ik heb je nodig. Als vriend.'

'Maar dat ben ik toch?'

Kirsten knikte. 'Jawel, maar...'

'Maar wat?' Mees hoorde zijn stem overslaan. 'Is er meer dan?'

'Nee, er zou meer moeten zijn.' Kirsten fluisterde bijna. 'Ik had het je veel eerder moeten vertellen, maar ik had tijd nodig. Ik moest het zeker weten.'

Mees zei niets.

'Begrijp het dan. Ik ben niet verliefd op je.' Kirsten haalde diep adem. 'Je bent mijn beste vriend. Ik vertrouw je, we delen alles samen. Al jaren. Maar verliefd? Nee! Dat voelt echt anders.'

'Ik...'

'Dat moet jij toch ook voelen?' Kirsten keek hem vragend aan. 'Wees eerlijk. Verliefd zijn is meer dan... dan dit.' Ze wees naar zichzelf en daarna naar hem. 'Voor mij in ieder geval wel, Mees.' Ze sloeg haar ogen neer.

De woorden boorden zich recht in zijn hart. Het was uit. Ze wilde niet meer. En hij had geen flauw idee waarom precies. 'Ja,' hoorde hij zichzelf zeggen. 'Prima.'

Kirsten legde haar hand op zijn arm. 'Dus je begrijpt het?'

Mees zweeg. Hij begreep er helemaal niets van, maar dat ging haar geen moer aan. Ze had hem al genoeg pijn gedaan.

'Ben je boos?' Kirsten kneep in zijn arm.

Mees schudde zijn hoofd.

'Opgelucht dan?'

Hij schudde haar van zich af. 'Waarom moet ik van jou altijd iets voelen? Het is toch duidelijk? Je maakt het uit en that's it!'

'Ik wil niet dat we met ruzie uit elkaar gaan,' probeerde Kirsten nog, maar Mees had zich al omgedraaid. 'Doei!' Met grote stappen liep hij naar de voordeur. Hij voelde de priemende blik van Kirsten in zijn rug. Drie maanden! Drie maanden hadden ze verkering. En nu was het over en uit. Mees stopte zijn handen diep weg in zijn zakken. Zijn ogen werden vochtig, maar hij kneep de tranen weg.

Hij kende Kirsten al zijn hele leven. Ze woonden in dezelfde straat en groeiden samen op. Dezelfde peuterklas, dezelfde basisschool en zelfs nu zaten ze in dezelfde klas van de middelbare school. In groep vier hadden ze verkering gekregen. Kirsten had het in groep vijf uitgemaakt. Hij wist het nog goed. Het briefje dat ze schreef had hij nog. Ze vond verkering zo'n gedoe. Gewoon vrienden waren ze, hartsvrienden. Voor altijd.

Het was een formaliteit, dat uitmaken. Ze bleven samen spelen en deelden al hun geheimen met elkaar. Er veranderde niets. Zelfs niet toen Kirsten in groep acht met Bart ging. Het stelde niets voor. Kirsten was zijn vriendin. De band die ze hadden, was vele malen sterker dan welk vriendje ook. Kirsten en hij... dat was voor altijd en daar kwam niemand tussen.

Toen Bart het uitmaakte, hadden ze er samen om gelachen. En langzaam groeiden ze naar een nieuwe verkering toe. Drie maanden geleden had hij haar gekust. Zomaar, ineens. Hij wist het nog precies. Ze zaten op de achterste rij van de bioscoop. Kirsten had zijn kus beantwoord en vanaf die tijd was er meer dan vriendschap.

Kirsten zoende geweldig. Hij voelde zich veilig bij haar. Bij Kirsten kon hij zichzelf zijn. En diep vanbinnen wist hij dat hun band voor eeuwig was. Dat ze het nu uitmaakte voelde als een klap in zijn gezicht. Onverwacht. Hard. Gemeen.

Haar woorden dreunden in zijn kop. 'Het voelt niet als verliefd. Verliefd zijn is meer dan dit.' Wat bedoelde ze?

'Zie ik je morgen?' De stem van Kirsten stuiterde over straat en knalde keihard tegen zijn rug. Er ging een rilling door hem heen. Wat wilde ze nou? Het was toch uit? Ze wilde hem niet meer. Nou dan! Hij hoefde haar voorlopig even niet te zien en te horen. Hij stak zijn sleutel in het slot en opende de deur.

'Mees, toe!'

Hij stapte naar binnen en met een klap viel de deur in het slot. Stilte. Even geen gezeik aan zijn hoofd. Ze zocht het maar uit. Ze wist het toch allemaal zo goed? Wedden dat ze over een paar dagen met hangende pootjes bij hem terugkwam?

Mompelend herhaalde hij haar woorden. 'Het voelt niet als verliefd.' Een schampere lach verscheen op zijn gezicht. Wat was dat nou voor gelul?

Hij trok zijn jas uit en smeet die op de grond onder de kapstok. Ze waren al hun hele leven samen. De afgelopen drie maanden bijna elke minuut. Samen naar school, samen huiswerk maken, samen naar de film, samen feesten, dansen, lachen, huilen. Alleen slapen deed hij nog alleen.

Ze hadden het erover gehad. Samen slapen, samen vrijen. All the way. Hij wilde en zij zei dat ze het ook wilde. Het zou voor allebei de eerste keer zijn. Kirsten was al aan de pil. Alles was goed voorbereid. Hij verheugde zich erop en had al verschillende scenario's bedacht. De eerste keer moest top zijn. Romantisch, met kaarsen, lieve woorden en heel veel strelen. Daar hielden meisjes van. Dat had hij opgezocht. Vooral niet te snel. Meiden hielden van langzaam. Moest ook wel, want bij hen ging het anders. Meer met gevoel.

Mees liet zich met zijn rug tegen de muur vallen en staarde voor zich uit. Kirsten had de pil voor niets geslikt. Hij deed geen moeite zijn tranen te bedwingen. Waarom? Wat had hij verkeerd gedaan? Ze vond hem de liefste jongen die ze kende. Nou dan? Dan maak je het toch niet uit? Ze hadden nooit ruzie, konden overal over praten en hadden altijd lol.

Mees zuchtte. Had hij maar wat verkeerd gedaan! Dan zou hij het begrijpen. Een vreselijke gedachte kwam bij hem op. Zou ze iemand anders hebben? Net als toen met Bart?

'Mees? Ben je daar?' De stem van zijn moeder haalde hem uit zijn gedachten.

'Yep!' Hij wipte naar voren en liep de smalle trap op.

'Was het gezellig?' vroeg zijn moeder.

Mees liep de kamer in en knikte. 'Reuze!'

Zijn moeder keek op van het tijdschrift waarin ze zat te lezen. 'Niet dus.'

Mees plofte op de bank. 'Ik wil er niet over praten.'

'Maar ik wel.' Zijn moeder legde het tijdschrift neer.
'Ruzie?'

'Was het maar waar.'

Er viel een stilte.

'Ze heeft het uitgemaakt,' ging Mees verder.

'Waarom?'

'Geen flauw idee. Ze zegt dat ze niet verliefd op me is.'

'Ach, lieverd.' Zijn moeder stond op en kwam naast hem zitten. 'Wat rot voor je.' Ze sloeg een arm om hem heen. 'Hoe voel je je?'

'Begin jij nou ook al?' Mees sloeg zijn armen over elkaar. 'Waarom willen vrouwen altijd weten hoe je je voelt?'

'Uit belangstelling.'

'Ik heb hier geen zin in,' bromde Mees. 'Niet nu.'

'Oké, kopje thee dan maar?' Zijn moeder stond op.

'Nee, doe maar cola.' Mees keek naar de klok. 'Ik moet straks trainen, hè?'

Zijn moeder knikte. 'We eten vroeg. Heb je veel huiswerk?'

'Gaat wel.' Mees stond op en pakte het glas cola aan van zijn moeder. 'Ik ga naar mijn kamer.'

Heel even keken ze elkaar aan.

'Laat me nou maar,' bromde Mees.

Even later zat hij op de rand van zijn bed met zijn mobiel in zijn handen. Zijn duim scrolde door zijn Facebook-berichten. Niemand had echt iets te melden. Wat domme filmpjes, een vakantiefoto en natuurlijk weer heel veel nieuwe profielfoto's van egotrippers. Hij sloot het programma af en opende zijn berichten. Job was online en had hem iets gezonden.

Job: Jij was snel weg. Ik heb je wis-schrift nog.

Mees: Shit, echt?

Job: Brengen?

Mees aarzelde. Job was zijn beste vriend. Als hij langskwam, zag hij natuurlijk meteen dat er iets aan de hand was. Hij had nu geen zin in opbeurende woorden.

Mees: Laat maar. Maak maar ff foto.

Job: Oké wat jij wilt.

Even later kwam er een afbeelding binnen van zijn wiskundeschrift. Het was wat onduidelijk, maar voldoende om aan de slag te gaan. Mees zag dat Job nog iets berichtte, maar klikte de verbinding weg.

Job: What's up?

Mees smeet zijn mobiel op zijn kussen, pakte de afstandsbediening die op de vensterbank lag en zette zijn computer aan. De vrolijke stem van Stromae schalde door de kamer. Zijn mobiel trilde. Hij stond op en liep naar zijn bureau. Aardrijkskunde en wiskunde. Hooguit een half-uurtje.

In nog geen halfuur had hij zijn huiswerk af. Hij klapte zijn wiskundeboek dicht en leunde achterover. Dikke regendruppels kletterden tegen zijn raam. Hopelijk was het straks droog. Hij had een bloedhekel aan waterballet. Het trainingsveld van zijn club was onlangs nog opgevuld met zand, maar met dit weer zou dat niet veel helpen.

Hij stond op en liep naar zijn bed. Vier berichten, allemaal van Job. Het eerste belangstellend, het laatste pissig. Mees aarzelde, maar pakte toen zijn mobiel op en drukte op de sneltoets.

Job nam gelijk op. 'Hé, man. Wat is er nou?'

'Hoezo?'

'Hoezo? Je drukt me gewoon weg.'

'Huiswerk.'

'Bullshit.'

'Nee, echt!'

'Sinds wanneer is huiswerk belangrijker dan je vrienden?' Er klonk een schamper lachje. 'Kom op, man. Vertel gewoon wat er aan de hand is.'

Mees zweeg.

'Moet ik me zorgen maken?'

'Nee, het is niets.' Mees ging op de rand van zijn bed zitten, boog voorover en streek met zijn hand door zijn haar. 'Niets wat ik zelf niet kan handelen, oké?'

'Man, doe niet zo moeilijk en vertel wat er is. Ik kom er toch wel achter.'

Mees grimaste. Dat was waar. Morgen op school zou

het nieuws zich snel verspreiden. 'Kirsten heeft het uitgemaakt.'

Het was even stil aan de andere kant van de lijn. 'En ik heb geen flauw idee waarom,' ging Mees verder.

'Wat is er gebeurd?'

'Niets, ik zweer het je.'

'Nee, ik bedoel... hoe heeft ze het uitgemaakt?'

Mees kwam overeind en liet zich achterover vallen. 'Ze zegt dat ze niet verliefd op me is.'

'En verder?'

'Ja, doet dat ertoe?' Mees vond de vragen van zijn vriend raar. Wat maakte het uit wat Kirsten allemaal gezegd had? Feit bleef dat het uit was.

'Is er iemand anders?' Jobs stem klonk verwachtingsvol. Alsof hij zat te wachten op smeuïge details.

'Weet ik veel. Vraag het haar lekker zelf. Ik hoef haar voorlopig niet meer te zien.' Mees trok zijn benen op en staarde naar het plafond. 'Ik begrijp er niets van,' mompelde hij.

'Meiden zijn niet te begrijpen. Weet je nog laatst? Die trut van een Elsa naaide mij eerst wekenlang op en toen ik toehapte, hield ze me af. Bitch!'

Mees haalde diep adem. 'Kirsten is geen bitch. We zijn vrienden, Job. Al vanaf de kleuterschool. En ik dacht echt...' Hij stokte.

'Rot voor je, man. Weet je zeker dat ik niet even langs moet komen? Filmpje kijken? Ik heb een te gekke horror gedownload. Hét medicijn tegen liefdesverdriet.'

Mees slikte. Hij wilde niets liever. Als er iemand was

13

die hem uit de put kon halen dan was het Job wel. Job was oké. Rechtdoorzee, altijd eerlijk. Soms te eerlijk. Maar Mees kon er wel om lachen als Job zich weer eens in de nesten werkte door er van alles uit te flappen. Job en hij waren al jaren vrienden. Vanaf dat ze samen in de brugklas belandden, trokken ze met elkaar op. Suze was erbij gekomen. Het klikte meteen tussen de meiden. Ze vormden met zijn vieren een hechte vriendenclub. Dat Kirsten het nu had uitgemaakt, maakte het moeilijk. Voor hem in ieder geval wel. Hoe kon je vrienden blijven met het enige meisje op de wereld dat je wilde vasthouden? Morgen zouden ze elkaar weer zien. Hoe moest hij zich gedragen? Alsof er niets gebeurd was? Hoe deed je dat? Mees haalde diep adem. Hij moest nadenken. 'Nee, ik moet trainen,' hoorde hij zichzelf zeggen.

'Ga je een keertje niet.'

'Ik moet. Zondag wedstrijd.'

'Oké, moet je zelf weten. Zie ik je morgen, goed? Hou je taai!'

Nog voordat Mees iets terug kon zeggen, had Job de verbinding verbroken.

'Mees! Thomas!' De stem van zijn vader schalde door het huis. 'Eten!'

Een deur klapte dicht en hij hoorde snelle voetstappen de trap af gaan, direct gevolgd door een vrolijke schreeuw. Heel even wilde hij ook weer, net als vroeger, opgevangen worden door zijn vader. Geknuffeld worden, beetje stoeien en dan honderduit vertellen over wat er die dag gebeurd was.

Terwijl hij de trap af liep hoorde hij zijn broertje lachen. 'En toen liet de juf haar pen vallen, en toen ze bukte zagen we haar onderbroek.'

Een bulderende lach klonk. 'En? Hoe zag dat eruit? Jouw juf heeft mooie billen.'

'Wim, stoppen nu!'

Mees kwam de kamer in en zag nog net de boze blik in zijn moeders ogen. Zijn vader gaf hem een knipoog. 'Wij mannen hebben zo onze prioriteiten, toch Mees?'

Mees liep naar zijn moeder en pakte de pan met spaghetti aan.

'Dank je, Mees,' zei zijn moeder, die in de pan met saus roerde. 'Ik ben blij dat er in dit huis tenminste nog iemand is die normaal doet.'

'Wij doen normaal, hoor.' Thomas gaf zijn vader een por. 'Toch, pap?'

'Jazeker, jongen. Wij doen normaal. Billen en borsten observeren is voor ons mannen van levensbelang. Daar kun je niet vroeg genoeg mee beginnen.'

Thomas grijnsde. 'Die van Kirsten zijn klein.'

Mees liet de pan met een klap op de tafel vallen. 'Bek dicht!'

Aangespoord door Mees' boze blik, zette Thomas vol in. 'Kirsten heeft kleine tieten! Kirsten heeft kleine tieten!'

Mees pakte vliegensvlug een handvol spaghetti uit de pan en duwde die in Thomas' gezicht. 'Bek houden, zei ik!'

Een angstig gegil klonk en Thomas maaide woest met

zijn armen om zich heen. De spaghettislierten vlogen in het rond.

Tevreden keek Mees naar zijn spartelende broertje. 'Is het lekker?'

'Ben je nu helemaal gek geworden!' Zijn vader was opgesprongen en greep Mees bij zijn arm. 'Idioot!'

'Ben ik een idioot?!' schreeuwde Mees. 'Wie begon hier met idioot doen?' Vanuit zijn ooghoeken zag hij zijn moeder onthutst staan kijken. Een steek van onmacht schoot door zijn lichaam.

'Thomas is een gezonde jongen,' riep zijn vader. 'Hij had het misschien niet hardop moeten zeggen, maar het is wel waar. Dat jij zo reageert, zegt meer iets over jou dan over Thomas.'

'Ach man.' Mees rukte zich los. 'Hoor je wel wat je zegt?' Mees keek zijn vader minachtend aan. 'Thomas heeft het niet van een vreemde. Billen en borsten, altijd dezelfde grapjes. Gefrustreerde macho's, dat zijn jullie!'

Ondertussen had Thomas zo veel mogelijk spaghettislierten terug in de pan gegooid en veegde hij zijn gezicht schoon met zijn mouw. 'Beter een macho dan een homo,' siste hij venijnig.

Hoofdstuk 2
Een bekentenis

'Drie rondjes!' Bernd rolde de laatste bal het veld op. 'En tempo!'

Mees was als eerste weg. Zijn benen wilden rennen. Moesten rennen. Sneller. De wind zo hard mogelijk langs je gezicht voelen glijden. Het gras ruiken, zweten, je hele lijf voelen tintelen. Nergens meer aan denken. Ver weg van thuis, van Kirsten, van alles.

'Haast?' Elco kwam naast hem rennen.

Mees versnelde. Niet praten nu, rennen!

'Wedstrijdje dus,' zei Elco en hij haalde Mees in. 'Zie je!'

Mees reageerde niet. Hij liet zich niet opfokken.

Zwijgend maakte hij zijn warming-up af. Elco stond al bij het doel. 'Gewonnen!'

Mees stopte bij de doelpaal en hijgde. Zijn maag protesteerde en hij leunde naar voren.

'Gaat-ie?' Bernd legde zijn hand op zijn onderrug.
Mees knikte. 'Lekker!'

Terwijl Bernd doorliep en de rest van de ploeg opwacht-
te, zag Mees dat Elco naar hem knipoogde. 'Lekker?'

'Ja, even rennen. Lekker.'

'O.'

'Wat?' Mees kwam omhoog.

'Niets!' Elco grijnsde en keek naar de trainer. 'Je zou
het niet zeggen, hè?'

'Wat niet?'

Elco kwam bij hem staan en gaf hem een veelbetekenende blik. 'Bernd.'

Mees keek achterom. Bernd stond bij de pionnen en
moedigde de laatste lopers aan. 'Kom op, laatste spurt-
je.'

'Hij bekt met mannen.' Elco fluisterde.

'Onzin,' siste Mees. 'Hij heeft een vriendin.'

'Alsof dat wat zegt.' Elco kwam nog dichterbij. 'Bas
heeft hem gezien. Vorig weekend, hier achter de kantine.
Met een man.' Elco's ogen schitterden en zijn mond vertrok. 'Echt goor.'

'Zegt Bas?'

Elco knikte. 'Ja.'

'En jij gelooft dat?' Mees schudde zijn hoofd. 'Bas is
door Bernd uit het team gezet, weet je nog? Omdat hij
nooit kwam opdagen met trainen en een grote bek had
tegen iedereen. Bas spoort niet.'

De stem van Bernd schalde over het veld. 'Kat en muis.
Drie groepjes.'

'Bas liegt niet.' Elco klonk stellig. 'Denk na, man!' Hij wees naar de trainer. 'Dat loopje van hem. En dat gefriemel aan ons.'

'Doe effe normaal.' Langzaam drong het tot Mees door waarom Elco daarnet zo vreemd reageerde toen Bernd zijn hand op zijn rug legde. 'Ik doe hier niet aan mee.' Hij rende het veld op en voegde zich bij een van de groepjes. 'Muis,' riep hij en hij rende achter de bal aan, die behendig en snel werd overgespeeld.

'Softie!' riep Michael. 'Pak 'm dan.'

Minutenlang werkte Mees zich in het zweet, maar hij kreeg de bal niet.

'Wisselen!' Bernd blies op zijn fluit.

Hijgend voegde Mees zich in de kring, terwijl Eric zijn plaats in het midden overnam. 'Kom maar op, stelletje mietjes!'

Mees hijgde. Hij was kapot en de training was nog maar net begonnen.

'Dollen!' Michael tikte de bal naar links. Mees schoof hem door. Zijn hart bonkte, maar het voelde goed.

'Mees!' Luuk schoot de bal naar hem toe.

Mees stopte de bal en tikte door. Eric was net te laat. Een dikke grijns verscheen op Mees' gezicht. 'Wie is hier nu een mietje?'

'Spelen, jongens,' riep Bernd. 'Niet lullen. Daar houden we niet van.'

'Wij niet,' mompelde Michael. 'Maar jij wel.'

Er werd zacht gelachen. Mees keek naar Bernd. Hij had het niet gehoord en liep alweer aan de andere kant van het veld. Maar goed ook. Elco was lekker bezig, zeg. De lulpraatjes van Bas hadden zich snel verspreid.

'Vuile vieze flikker,' bromde Michael. 'Als-ie maar met zijn poten van me afblijft.'

Er klonk instemmend gemompel.

'Een mietje als trainer,' zei Eric. 'Pikken we dat?'

'Bernd is een goede trainer,' zei Boaz. 'Al jaren.'

'Ja, maar nu niet meer.' Het gezicht van Eric stond grimmig. 'Ik vind dat we iets moeten doen.'

'We weten niet eens of het zo is,' siste Boaz.

'Reken maar van yes! Zoiets zie je toch meteen.'

'Bullshit, we hebben nooit iets gemerkt.'

Eric keek Boaz doordringend aan. 'Zeg, neem jij het soms voor die homo op?'

Boaz zweeg en er viel een ongemakkelijke stilte.

'Ik heb het altijd al gedacht,' zei Michael.

Mees schudde zijn hoofd. 'En wat dan nog? Als het wel zo is? Dat maakt hem toch niet opeens een slechte trainer?' Hij voelde zich op de een of andere manier ongemakkelijk met de situatie.

'Nee, maar wel een pedo.' Eric balde zijn vuisten. 'Stiekem gluren naar ons onder de douche al die jaren, zonder iets te zeggen. Gatverdamme, misschien heeft-ie wel...'

'Wordt er nog gespeeld, jongens?' Bernd kwam aangelopen. 'Vergaderen doen we straks. De wedstrijd van zondag moet gewonnen worden om nummer twee op afstand te houden.' Hij klapte in zijn handen. 'Nog even!'

De groep kwam in beweging. Tijdens de training werd er geen woord meer over gesproken. Mees rende de longen uit zijn lijf. Het voelde heerlijk. Kirsten verdween beetje bij beetje uit zijn systeem.

Na het laatste fluitsignaal liep hij als eerste het veld af. Douchen met flink veel zeep. Dat was het laatste wat hij nodig had om alles achter zich te laten. Een rilling liep over zijn lijf toen hij de kraan opendraaide. Het duurde even voordat het warme water kwam. De kleedkamer vulde zich met jongensstemmen.

'Laat die vent toch gewoon zijn ding doen,' zei Boaz.

'Vent? Als je met mannen flikflooit ben je geen vent.' Eric was op stoom.

'Wat wil je doen dan?'

'Melden.'

'Melden?' Nu was het Michael die zich in het gesprek mengde. 'Aan wie?'

'Het bestuur.'

Boaz lachte. 'En dan?'

'Nou, dan kan-ie oprotten.'

'Denk nou eens even na, man. Bernd is een supergoede trainer. En er staat nergens in de reglementen dat wat je in je vrije tijd doet invloed heeft op je functie. Wat wil je hier nou mee bereiken, man?'

'Wat ik wil?' Erics stem sloeg over. 'Een trainer die straight is.'

'Dan moet je een ander team zoeken.' De stem van Bernd klonk stellig.

Mees deed een stap naar achteren en keek de kleedkamer in. Bernd stond bij de deur, met zijn armen over elkaar geslagen. Het werd stil. Alleen het kletterende water van de douche was nog te horen.

'Als jij er moeite mee hebt dat ik homo ben...' Bernd wachtte even, 'dan is aan jou de keuze.' De woorden van Bernd werkten als een rode lap op een stier.

'Dus je geeft het gewoon toe?' riep Eric.

'Jazeker, waarom zou ik daarover liegen?'

Mees zag dat Eric triomfantelijk naar zijn teamgenoten keek. 'Wat zei ik jullie?'

Er klonk gemompel en Eric voelde dat hij terrein won. 'Onze trainer valt op jongens. Dat doe je toch niet!'

Iedereen praatte nu door elkaar. Mees zag dat Bernd op een van de banken ging zitten.

'Denken jullie nu echt dat ik hiervoor kies?'

Eric haalde zijn schouders op. 'Je hebt een vriendin! En een mooie ook. Alles erop en eraan.' Hij lachte schamper. 'En jij dumpt haar voor gerommel in de bosjes met jongens. Ga mij nu niet vertellen dat je gedwongen wordt!'

Bernd boog zijn hoofd. 'Min of meer wel, ja.'

Het werd doodstil in de kleedkamer.

'Ik wist het al veel langer.' Bernd sprak zacht, maar dwingend. 'Eerst wilde ik het niet toegeven. Niemand wil homo zijn, toch?'

Niemand zei iets. Mees hield zijn adem in. De woorden van Bernd raakten hem. *Niemand wil homo zijn, toch?* Mees wankelde. Zijn hand zocht steun bij de gladde natte douchemuur.

'Maar je hebt geen keus,' ging Bernd verder. 'Als je tenminste niet doodongelukkig wilt zijn de rest van je leven.' Hij keek op. 'Uit de kast komen is een opluchting en een kwelling tegelijk. Je hebt geen flauw idee wat er gaat gebeuren. Hoe mensen reageren. Het is alsof je op een andere planeet landt en opnieuw moet uitleggen wie je bent, wat je bent.'

'En je vriendin?' vroeg Boaz, die net zo onder de indruk was als de rest.

'Verdrietig.'

Eric schoof met zijn voet over de stenen vloer. 'Zielig, hoor.'

Hij kreeg een por van Michael. 'Laat hem uitpraten.'

Mees voelde met zijn hand dat het water warm was, maar bleef staan. Hij wilde geen woord missen.

'Natuurlijk is dit niet leuk,' ging Bernd verder. 'Maar je kunt beter eerlijk zijn dan erover liegen. En weet je, Eric,' Bernd keek Eric aan. 'Jongens zoals jij maken het ons heel moeilijk.'

'Ach flikker toch op, man!' Erics stem sloeg over. 'Ik heb helemaal geen zin in jouw zielige praatjes. Wacht maar tot mijn ouders dit horen. Je denkt toch niet echt dat je hier nog langer trainer kunt zijn?' Een schampere lach klonk. 'Lekker tussen de jonge jongens? Ik dacht het niet. Zoek maar een andere club om je op te geilen.'

'Eric!' Boaz greep in. 'Kappen, hier krijg je spijt van.'

'Helemaal niet! Opflikkeren met die handel.'

'Jij beslist dit niet in je eentje,' riep Ward.

De jongens begonnen door elkaar te praten. Mees hoorde Kees en Ward tegen elkaar schreeuwen. Hij stapte onder de douche, sloot zijn ogen en liet het warme water over zijn lichaam lopen. De geluiden vervaagden en hij concentreerde zich op het water. Minutenlang bleef hij zo staan. Naast hem werden meer kranen opengedraaid. Hij voelde de damp zijn longen in stromen. Niet aan denken. Weg. Hij moest het wegstoppen. Terug naar waar het vandaan kwam. Veilig opgesloten diep vanbinnen.

Eindelijk verliet hij de waterstroom en greep zijn handdoek. Bernd was weg. De jongens stonden allemaal onder de douche. Zwijgend droogde hij zich af en kleedde zich aan. Boaz was de eerste die na hem de kleedkamer in kwam. Zijn gezicht stond grimmig. 'Lekker sfeertje zo,' mompelde hij.

Mees stond op. 'Zie je zondag!' Zonder een reactie af te wachten liep hij de kleedkamer uit. Het regende een beetje toen hij zijn fiets van het slot haalde.

'Mees?'

Mees draaide zich om. Bernd kwam naar hem toe gelopen. 'Wat vind jij?'

Mees draaide zijn stuur en voelde dat zijn gezicht begon te gloeien. 'Ik vind helemaal niets. Jij kan er toch niets aan doen?' Hij wilde weglopen, maar Bernd hield hem tegen. 'Ik wil weten hoe jij er echt over denkt.'

'Gewoon.' Mees haalde zijn schouders op en ontweek Bernds blik. Wat wilde Bernd dat hij zei?

'De meeste jongens hebben zich uitgesproken. Van jou weet ik het nog niet.' Bernd keek gespannen. 'Ik kan jullie alleen met volledig vertrouwen trainen. Wat dat betreft heeft Eric wel gelijk.'

'Van mij hoef je niet weg, hoor,' bromde Mees.

'Maar?'

'Niets maar,' zei Mees en hij keek op. 'Je bent een goede trainer. Meer is toch niet nodig?'

Bernd keek hem onderzoekend aan, maar zei niets.

'Tot zondag.' Mees stapte op zijn fiets en reed weg.

'Misschien,' hoorde hij Bernd nog zeggen.

Hoofdstuk 3
Alleen

Het voelde ongemakkelijk, maar tegelijkertijd vertrouwd. Kirsten en Suze die hem opwachtten op de hoek van de straat. Zo ging het al drie jaar en dus ook deze ochtend.

'Hoi!' Suzes stem klonk schel. Zou ze het weten?

Mees stak zijn hand op en reed de meiden voorbij. Hij fietste wel alleen naar school.

'Hé, heb je haast?' Suze zette een sprintje in en kwam naast hem fietsen.

Vanuit zijn ooghoeken zag hij dat Kirsten hen op een afstandje volgde.

'Kirsten heeft het verteld,' zei Suze.

Mees zijn mond vertrok. Dus toch!

'Ze is zelf ook verdrietig, Mees.'

'Zal wel.'

'Nee, echt. Dacht je dat het voor haar makkelijk was?'

26

Mees duwde zijn trappers nog sneller in het rond. Suze hield hem bij. 'Ze wilde het je al veel eerder zeggen.'

'O!' Mees boog zich over zijn stuur. 'Dus jij wist ervan?'

Suze zweeg.

'Hoelang al?'

'Hoelang wat?'

'Hoelang wist jij al dat ze het uit wilde maken?'

Suze slikte. 'Luister, Mees. Kirsten heeft het moeilijk. Haar ouders maken steeds ruzie en staan op het punt van scheiden. Haar oudere zus is meer weg dan thuis en haar broertje is te klein. Ze staat er helemaal alleen voor.'

Suze zuchtte. 'Ze moest met iemand praten, dat begrijp je toch wel?'

Mees keek grimmig. Hij was er toch? Waarom had Kirsten niet met hem gepraat? Hij zag toch dat ze zich rot voelde. Hij had het haar meerdere keren gevraagd. Natuurlijk wist hij van haar ouders. Maar als ze weer eens onverwacht naar zijn huis kwam, wilde ze er niet over praten. Ze gaf Mees het idee dat ze speciaal voor hem kwam. Dat ze hem miste en bij hem in de buurt wilde zijn. Was dat dan allemaal toneel geweest? Hij haalde diep adem. Hij wist niet meer wat hij wel of niet moest geloven.

'Vriendinnen vertellen elkaar alles,' ging Suze verder. 'Dus ja, ik wist dat ze twijfelde over jou, over jullie.'

'Hoelang al?' herhaalde Mees zijn vraag.

Suze beet op haar lip. 'Een paar weken.'

Mees' handen balden zich om zijn stuur. Een paar weken? Al die tijd dat hij en Kirsten het over hun eerste keer hadden, hoe ze het zouden doen, waar ze het zouden doen. Al die tijd twijfelde ze dus al. En ze had het met haar beste vriendin gedeeld. Hoe gênant was dat? Wat hadden Kirsten en Suze samen allemaal besproken? Zouden ze gelachen hebben om zijn gestuntel toen hij condooms ging kopen? Zou Kirsten soms weten... voelen dat hij... Zijn maag kromp samen. Mees remde, voelde zijn achterband slippen en kwam dwars op het fietspad te staan.

'Aaah!' Kirsten moest noodgedwongen remmen en sprong net op tijd van haar fiets. 'Wat doe jij nou?'

'Wat ik doe? Dat zal ik je precies vertellen.' Mees ging weer op zijn zadel zitten. Zijn rechterbeen steunde op de grond. 'Ik fiets alleen naar school. Vandaag, morgen, overmorgen... altijd.' Hij draaide zijn stuur. 'En waag het niet om ooit nog in mijn buurt te komen. Jullie allebei.'

'Maar Mees...'

Zonder nog iets te zeggen, fietste Mees weg.

Job stond al bij zijn kluisje en begroette hem met een grijns. 'Zo te zien ben je nog steeds boos?'

'Alweer,' verbeterde Mees hem. Hij opende zijn kluis en smeet zijn jas erin. 'Ik ben er klaar mee.'

'Waarmee?'

'Suze en Kirsten.' Hij duwde zijn wis- en natuurkundeboeken in zijn kluis. In een paar korte zinnen vertelde hij wat hij daarnet te weten was gekomen.

'Lullig,' zei Job.

'Dat is nog zacht uitgedrukt.' Mees sloot zijn kluis. 'Ik heb gezegd dat ik niets meer met ze te maken wil hebben.'

Jobs gezicht betrok. 'Is dat niet een beetje overdreven?'

'Hoezo?' Mees keek op. 'Ze hebben me belazerd. Achter mijn rug om uitgelachen.'

'Hebben ze dat gezegd?'

'Nee, natuurlijk niet.' Mees deed een stap naar voren om een brugklasser te laten passeren. 'Maar dat is toch logisch?' siste hij. 'Ze kletsen al weken over mij.'

Job sloeg zijn arm om Mees zijn schouders. 'Laat het even bezinken, oké? Kirsten en Suze zijn ook mijn vriendinnen. We zijn een team.'

Mees pakte zijn tas. 'Niet meer.' In de verte zag hij Kirsten en Suze naar hun kluisje lopen. 'Laat ze het lekker samen uitzoeken.' Hij zag dat Suze haar schouders ophaalde en teleurgesteld hun kant op keek. Mees draaide zich om en zag nog net de knipoog van Job. Probeerden Suze en Job elkaar iets te vertellen? 'Wist jij het ook?' Een steek schoot door zijn maag.

Job liet zijn arm zakken. 'Wat?'

Mees keek naar Suze, die nu bij haar kluisje stond. 'Dat Kirsten het uit wilde maken?' Hij keek Job doordringend aan. 'Nou?'

Job aarzelde net iets te lang.

'En bedankt!' Mees wilde weglopen, maar Job hield hem tegen. 'Mees, luister. Kirsten zat ermee. We zijn een

29

team. Kirsten, Suze, jij en ik. Door dat gedoe tussen jou en Kirsten waren we bang dat...'

'Gedoe?' Mees draaide zich om. 'Er was helemaal geen gedoe. Kirsten en ik waren oké. Totdat jullie je ermee gingen bemoeien.'

Een paar meisjes bleven staan. Mees maaide met zijn armen. 'Doorlopen jullie!' De eerste bel ging en de meiden liepen giechelend verder.

'Kirsten vroeg raad,' legde Job uit. 'Ze wilde je geen pijn doen.'

'O, dus heb jij haar verteld hoe ze het het beste kon uitmaken.'

'Niet hoe.' Job klonk stellig. 'Ik heb gezegd dát ze het moest zeggen. Langer wachten maakte het alleen maar erger.'

'Nou, je wordt bedankt! Nu is het lang niet zo erg,' bromde Mees met een sarcastische ondertoon. Hij vermande zich. 'Dus gisteravond toen je mij sms'te, wist je het?'

'Ik vermoedde het,' zei Job zacht. 'Suze en ik...' Hij wachtte even. 'We willen gewoon dat het goed komt. We zijn vrienden. Dat is niet zomaar weg.'

'Je ziet het,' zei Mees en hij haalde zijn schouders op. 'Zo heb je twee vrienden en een vriendin. Zo heb je niets meer.' Hij liep de smalle ruimte bij de kluisjes uit en duwde de klapdeur open. Achter hem hoorde hij voetstappen.

'Mees, niet doen! Geef het tijd.'

Mees sloeg links af en liep de trap op. Zijn tas bonkte tegen iemand aan.

'Uitkijken, homo!'

Er klonk gelach. Mees liep door. Hij was het gewend. Al vanaf de allereerste dag dat hij op deze school kwam, kreeg hij dit naar zijn hoofd geslingerd. Niet specifiek door één iemand. Het was meer een algemeen gebruik. Hij had geen flauw idee waarom ze hem eruit pikten. Hij had toch verkering met Kirsten? En daarbij zag hij er echt niet uit als een homo. En hij liep al helemaal niet als een homo. Homo's waren aandachttrekkers die halfnaakt op boten door de grachten van Amsterdam voeren. Uitslovers die er op televisie open en bloot grappen over maakten. Veren, glitterpakken, overdreven lachen, gekke stemmetjes, kaalgeschoren koppen, snorren. Mees gruwde.

Zijn vrienden kwamen altijd voor hem op. Kirsten had zelfs een keer een van die etterbakken aangevlogen en had daarvoor straf gekregen. Ook Job wist hem altijd weer gerust te stellen. 'Het is toch niet waar?' zei hij dan. 'Waar maak je je dan druk om? Laat ze.'

Langzamerhand was hij het gaan negeren en werd het minder. Nu kon het hem niets meer schelen. Iets wat niet waar was, kon je geen pijn doen. Hij was geen homo. Hij was geen homo.

Het scheikundelokaal lag aan het eind van de gang op de eerste verdieping. Mees was een van de eersten en ging achterin zitten. Bij het raam. Langzaam druppelde de klas vol. Job schoof naast hem, maar zei niets.

Kirsten en Suze kwamen voor hen zitten. Suze voor hem, bij het raam. Kirsten ernaast. Mees staarde naar buiten. Dit ging een lange dag worden.

De eerste twee lesuren verliepen in stilte. Mees concentreerde zich op de docent en bij het wisselen van de lokalen liep hij als eerste de klas uit. In de pauze ging hij naar buiten. De frisse lucht deed hem goed. Langzaam ebde zijn ergste woede weg. Hij had geen idee hoe het nu verder moest. Moest hij op zoek naar nieuwe vrienden? Hij zou niet weten waar. Op school waren de groepen al gevormd. Het was onmogelijk om ergens binnen te dringen als nieuweling. Voetbal? Geen denken aan. Daar was de sfeer zodanig verziekt; dan ging hij nog liever van voetbal af. Misschien een andere sport. Tennis? Mountainbiken?

Het derde lesuur was in het biologielokaal op de derde verdieping. Mees liep met de stroom mee de trap op en ging weer achterin bij het raam zitten. Job, Kirsten en Suze namen hun plaatsen naast en voor hem in. Niemand sprak.

Mees keek naar buiten. In de weerspiegeling van het raam zag hij meneer Hagendoorn het lokaal in komen lopen. Een jongen van een jaar of twintig volgde. Hij zei iets tegen meneer Hagendoorn en lachte. Opeens herinnerde Mees zich dat er deze les een gastdocent zou komen van het coc. Meneer Hagendoorn had dit de vorige les aangekondigd, maar er niet bij verteld wat het coc precies was. Hij was benieuwd. Alles beter dan gewoon les.

'Goedemorgen allemaal.' Meneer Hagendoorn zette zijn tas op de grond. 'Dit is Jochem van Kesteren. Hij is... eh...' Meneer Hagendoorn glimlachte. 'Ach, misschien kun je je beter zelf even voorstellen?'

De jongen knikte en wendde zich tot de klas. 'Ik ben Jochem van Kesteren en ik kom namens het COC voorlichting geven over homoseksualiteit.'

Het was op slag stil in de klas.

'Ik merk dat ik jullie aandacht heb,' ging Jochem verder. 'Dat is mooi.'

'Bent u zelf homo?' De stem van Suze klonk nieuwsgierig.

'Ja.' Jochem knikte.

'Dat dacht ik al,' reageerde Suze met een sip gezicht. 'Knappe jongens zijn altijd homo.' Ze legde haar hoofd in haar handen en zuchtte. Hier en daar werd gelachen.

Jochem glimlachte en pakte een stift. 'Knappe jongens zijn altijd homo.' Terwijl hij de zin herhaalde, schreef hij de woorden op het bord. 'Oké. Dat is dus wat er in je opkomt bij het woord "homo".'

Terwijl Suze heftig knikte, schreef Jochem de vier letters in het midden van het bord. HOMO. Hij keek de klas rond. 'Waar denken jullie nog meer aan bij dat woord?'

'Flikker,' riep Sjoerd.

Jochem schreef het al op.

'Gordon en Gerard.' De zware stem van Wesley denderde door de klas.

'Mijn oom is homo,' zei Myra.

Langzaam kwam de klas los. Jochem schreef alles op wat er gezegd werd.

'De gayparade.'

'Aids.'

'Het zijn gewoon grappige mensen.'

'Ze lopen raar.'

'Ja, in vrouwenkleren.'

'Nee joh, dat doen homo's niet. Dat noem je traves-tieten.'

'Traves...wie?'

'Tieten.'

'Homo's houden niet van tieten.'

Iedereen riep nu dingen door elkaar. Jochem deed zijn uiterste best om alles te noteren.

'Maar vrouwen kunnen ook homo zijn, toch?'

'Dat noem je lesbisch, joh!'

'En als je het met allebei doet?'

'Dan ben je bi.'

Jochem schreef zes grote letters op het bord: HOLEBI.

'Holebi? Wat is dat nu weer?'

'Homo, lesbisch en bi, eikel.'

'Klinkt wel lekker,' riep Job. 'Holebi, holebi, holebi.' Hij sprak de woorden zingend uit. 'Net zoiets als: wannabe, wannabe, wannabe.'

Een paar meiden begonnen mee te zingen. Meneer Hagendoorn maande tot stilte. 'Even serieus nu.'

Jochem glimlachte. 'Nog meer? Of was dit het?'

'Uit de kast komen,' riep Sharon.

'Lekker in de kast laten zitten,' bromde Klaas, die onderuitgezakt op zijn stoel zat. 'Moet ik hiernaar luisteren?'

'Kappers,' zei Janick. 'Kappers zijn altijd homo.'

'Lul niet!' riep Kim. 'Mijn broer is kapper en die is echt geen homo, hoor.'

'Misschien weet hij het zelf nog niet?' Janick grijnsde.

Jochem greep in. 'Laten we het neutraal houden.' Hij keek naar het bord. 'Ik denk dat er al behoorlijk veel geroepen is.' Hij keek de klas rond. Langzaam werd het stil.

Mees leunde met zijn hoofd tegen het raam. Moest dit? Het was maar goed dat hij achter in de klas zat. Lekker veilig.

'Eén op de tien mensen is homo,' ging Jochem verder. 'Maar omdat velen het geheimhouden, weten we niet precies hoeveel mensen homoseksuele gevoelens hebben.'

'Eén op de tien?' riep Suze. 'Dan zitten er hier twee of misschien wel drie in de klas.'

'Ja, zeker weten,' zei Pieter. 'Kijk maar achter je.'

Iedereen draaide zich om en Mees voelde zijn gezicht rood worden.

'Jij durft!' riep Job.

'Het is toch zo?'

Mees verstijfde.

'Mees is geen homo,' riep Kirsten. 'En als iemand dat kan weten, ben ik het wel.'

'Je bent zelf een homo, Pieter!' riep Suze fel.

Meneer Hagendoorn greep in. 'Stoppen!'

Mees voelde zijn hart bonken.

Jochem wachtte tot het stil was en ging toen verder. 'Het lijkt me een goed idee om eerst iets te vertellen over het coc en alles wat ze bereikt hebben in Nederland.' Jochem stond nu voor het bord. 'coc Nederland komt op voor de belangen van lesbische vrouwen, homoseksuele mannen, biseksuelen en transgenders, samengevat de LHBT's.

Lot stak haar vinger op. 'Wat is dat, een transgender?'

'Een vrouw met een piemel, of een man met tieten,' riep Bilal en hij keek triomfantelijk rond. Een paar jongens schoten in de lach.

Jochem glimlachte. 'Niet helemaal. Transgenders voelen zich niet thuis in hun lichaam. Ze zijn geboren als vrouw, maar voelen zich man. Of andersom. De officiële benaming voor dit verschijnsel is genderdysforie.'

'Moet dit echt?' verzuchtte Klaas en hij keek op zijn horloge.

'Wat betekenen die letters eigenlijk?' vroeg Bilal.

'Boeie!' mompelde Klaas.

Jochem deed net of hij het niet hoorde. 'Het COC werd in 1946 in Amsterdam opgericht onder de naam Shakespeare Club. In 1949 werd de Shakespeare Club omgedoopt tot het Cultuur- en Ontspannings Centrum, ofwel het C.O.C.'

'Schijnheilig, hoor,' mompelde Klaas. 'Waarom niet gewoon de Homoclub?'

'Homofilie was in die tijd niet bespreekbaar en zelfs strafbaar,' legde Jochem uit. 'Hitler had binnen de Gestapo een aparte afdeling opgericht die homo's moest opsporen. Veel homo's zijn in concentratiekampen omgekomen.'

Jochem liet een stilte vallen en keek rond. Zijn woorden maakten indruk.

'Zoals jullie wel weten moesten Joden een gele ster

dragen,' ging Jochem verder. 'Zo kon je ze overal herkennen. Homo's kregen van de Duitsers een roze driehoek.'

Hij liep met langzame passen door de klas. 'Zestig procent van de gedeporteerde homo's heeft de oorlog niet overleefd. Dat is na dat van de Joden het hoogste sterftepercentage. In verschillende concentratiekampen zijn er na de oorlog, ter herinnering aan deze homodeportaties, herdenkingsplaquettes geplaatst in de vorm van een roze driehoek. Ook het homomonument dat in 1987 in Amsterdam werd geplaatst, heeft deze vorm. Het was trouwens het eerste monument voor homo's ter wereld.'

Jochem glimlachte. 'Het COC heeft de afgelopen zestig jaar al veel bereikt. Zo is in 1971 het verbod op seksueel contact met iemand van hetzelfde geslacht officieel opgeheven. En in 1993 was daar de Algemene wet gelijke behandeling, die onder meer discriminatie op grond van homoseksualiteit verbiedt. En Nederland was het eerste land waar op 1 april 2001 het homohuwelijk bij wet mogelijk werd gemaakt.'

'Bent u getrouwd?' De stem van Suze verbrak de stilte.

'Nee. Ik heb wel een vaste vriend,' antwoordde Jochem.

'Jammer hè, Suus?' zei Pieter grijnzend, maar Suze kon er niet om lachen.

'Meneer?' Kirsten stak haar vinger op. 'Moeten we aantekeningen maken of zo?'

Meneer Hagendoorn schudde zijn hoofd. 'Nee, maar ik wil dat jullie goed luisteren.'

Jochem knikte. 'Het is belangrijk dat jullie wat meer te weten komen over homoseksualiteit. Ik wil jullie graag uitleggen hoe het is, hoe het voelt om homo te zijn. Zo voorkomen we misverstanden en...'

'Wij hebben er hier op school geen problemen mee, hoor,' riep Suze.

'Nee, er lopen er hier genoeg rond,' zei Bilal. 'Zolang ze mij er niet mee lastigvallen, vind ik het best. We leven in een vrij land.'

Er klonk instemmend gemompel.

Jochem knikte. 'Oké, laat ik het zo zeggen. Wat zouden jullie ervan vinden als er een homo in je voetbal-, tennis- of hockeyteam zou zitten? Of dat ik bij jullie in de klas zit en jullie op een maandagochtend vertel over mijn zoenpartij met een jongen dat weekend?'

'Jak!' Klaas gruwde.

'Homo's zitten niet op voetbal,' zei Tim. 'Die zitten op ballet of zo.'

Jochem wierp een veelbetekenende blik op Tim. 'Kijk, en daarom ga ik jullie iets vertellen over mezelf.'

Hoofdstuk 4
Verwarring

Mees smeet zijn tas onder de kapstok en liep de keuken in. Het was stil in huis en dat zou het voorlopig ook even blijven, had zijn moeder hem geappt. Ze moest tot zes uur werken en zou met zijn vader meerijden naar huis. Thomas was bij een vriend vanmiddag, dus hij had het rijk alleen. Heerlijk. Even geen gezeik aan zijn kop.

De cijfers van de klok vertelden hem dat het halfdrie was. Het weekend was begonnen. Normaal gesproken zou hij nu met Job, Suze en Kirsten het weekend inluiden bij de snackbar in de stad, maar vandaag had hij daar geen behoefte aan. Hij wilde alleen zijn.

Hij opende de koelkast en schonk zichzelf een glas cola in. Zijn blik viel op een bakje koude spaghetti die over was van gisteravond. Zijn maag knorde. Hij pakte het bakje en zette het in de magnetron. Vier minuten later zat hij op de bank en propte de spaghetti naar binnen.

De stilte in huis deed hem goed.

De bel ging.

Mees bleef zitten. Hij had geen zin om op te staan. Vast een of andere collecte.

Weer klonk de bel.

Mees zette de tv aan. De beller zou het vanzelf wel opgeven. Hij nam een hap en leunde achterover. Zie je wel? De aanhouder wint.

Op dat moment schalde het schelle geluid van de bel aanhoudend door het huis.

'Wel alle...' Mees zette het bakje naast zich op de bank. 'Welke aso houdt zijn vinger op de bel?' Hij stond op en liep naar de gang. De bel klonk nog steeds.

'Mees! Doe open!'

Mees verstijfde. Dat was de stem van Job.

'We weten dat je thuis bent.'

'Kirsten,' mompelde Mees. Job en Kirsten stonden voor de deur, en waarschijnlijk was Suze er ook bij.

'Mees, doe open, man!' Job bonsde op de deur.

Het geluid van de bel en het gebons op de deur maakten Mees onrustig. Ze wisten dat hij thuis was. Stom! Zijn fiets stond nog in de voortuin.

'We blijven hier net zolang staan tot je de deur opendoet.'

Mees kende Job goed genoeg om te weten dat hij het meende. Met een diepe zucht opende hij de deur.

'We willen met je praten,' zei Job.

'Ik niet met jullie.' Mees wilde de deur dichtdoen, maar Job was in de deuropening gaan staan. 'Dan heb je pech, want wij laten ons niet wegsturen.'

'Doe wat je niet laten kunt.' Mees draaide zich om en liep terug naar de kamer. Achter zich hoorde hij de deur in het slot vallen en hij ging zitten.

'Ben je alleen thuis?' Suze was als eerste in de kamer en keek om zich heen. Het televisiebeeld weerkaatste op de witte muur achter de bank.

Mees zweeg en pakte zijn bakje spaghetti weer op.

'Ja dus.' Suze ging naast hem op de bank zitten. 'Dat is mooi, dan kunnen we het uitpraten.'

'Er valt niets uit te praten,' bromde Mees.

'Het is niet wat jij denkt,' ging Suze verder.

'O nee? En wat denk ik dan?'

Suze zweeg.

Mees kon zich niet inhouden. 'Kirsten heeft het net uitgemaakt en jullie wisten al wekenlang dat ze dat zou doen. Wat is daar verkeerd aan gedacht?'

'Mees!' Kirstens stem klonk gepikeerd. 'Je begrijpt het niet.'

'Nee, inderdaad!' Mees zette het bakje neer. 'Maar zoiets is ook niet te begrijpen. Ik denk dat half Nederland er niets van zou snappen.'

'Ik begrijp het zelf ook niet,' stamelde Kirsten. 'Ik twijfelde al langer.' Ze zuchtte. 'En ik moest er met iemand over praten.'

'Ja, dat begrijp ik,' riep Mees. 'Maar wat ik niet begrijp is dat je dat met hen bespreekt en niet met mij.' Hij keek naar Suze en Job. 'Het gaat ze geen donder aan wat wij samen hebben. Zoiets bepraat je met mij.'

'Het spijt me.' Kirsten beet op haar lip en vocht tegen haar tranen. 'Maar ik dacht... nou ja, we zijn allemaal vrienden. En ik wilde je geen pijn doen, dus...'

Mees voelde zijn boosheid zakken. De onmacht in Kirstens ogen maakte hem week. Ze had het moeilijk, zag hij. Het liefst wilde hij haar troosten, zijn armen om haar heen slaan en haar tranen wegkussen, maar dat kon niet. Hij was gekwetst, diep gekwetst, en dat moesten ze voelen ook. 'Dus je dacht: ik vraag ze gewoon advies over hoe ik Mees het beste kan dumpen.'

Kirsten schudde haar hoofd. 'Nee, nee.' Haar stem trilde. 'Niet dumpen. Ik wilde...' Ze haalde diep adem. 'Ik dacht, misschien...'

'Misschien hebben Job en Suze een creatieve oplossing.'

'Ja, zoiets.' Kirstens stem klonk zacht.

'En? Heeft het gewerkt?'

'Niet echt.'

'Precies!' Mees sloeg zijn armen over elkaar. 'En nu?'

'Gaan we dit oplossen,' zei Job.

'Oplossen?' Mees fronste zijn wenkbrauwen. 'Er valt niets op te lossen. Het gaat om accepteren.'

'Ook, maar wij...' Job wees naar Kirsten en Suze. 'Wij willen niet dat dit onze vriendschap in de weg staat.'

'Er is niets veranderd, Mees,' fluisterde Kirsten. 'Voor mij ben je nog steeds mijn allerbeste vriend. Mijn maatje. Dat is altijd al zo geweest en dat zal altijd zo blijven. Ik heb een fout gemaakt, Mees. Ik heb onze vriendschap aangezien voor iets anders.' Ze wachtte even. 'Ik ben niet verliefd op je.'

Mees ging rechtop zitten.

'Mees?' Kirsten pakte zijn arm vast. 'Wees eerlijk tegen jezelf. Jij ook niet op mij.'

'Hoe weet jij dat nou?' snauwde Mees.

'Omdat ik je ken.' Kirsten keek naar Job en daarna weer naar Mees. 'Verliefd zijn voelt anders. Vrolijk, van de wereld. Die vlinders in je buik? Die moeten je gek maken!' Ze schudde haar hoofd. 'Dat heb jij toch ook niet? Wat wij voelen is vriendschap, geen verliefdheid.'

Mees zei niets.

'Vriendschap is forever,' zei Suze. 'Verliefdheid is slopend.' Ze sloeg haar handen ineen. 'En ik weet er alles van. Je slaapt niet, eet niet, drinkt niet... of te veel.' Ze giechelde.

Mees staarde voor zich uit. Hij herkende niets van wat Suze vertelde. Maar dat wilde toch niet zeggen dat hij niet verliefd was? Hij hield van Kirsten. Het voelde zo vertrouwd samen. Moest je dan per se vlinders in je buik voelen? Hoe kon dat als je elkaar al meer dan tien jaar kende? Houden van was veel meer waard.

'Toen ik op Bas was, sliep ik twee weken niet.' Suze glimlachte. 'Ik was kapot. Eigenlijk was ik blij dat ik verliefd werd op Iljan. Maar ja, die maakte me gek van jaloezie, omdat hij ook met andere meiden ging stappen.' Ze knikte. 'Het lekkerste verliefd was ik op Lionel. Die deed alles wat ik hem vroeg. Maar ja, daar was de lol snel vanaf. Zo'n watje hoef ik ook weer niet. Dus nu ben ik helemaal weg van Kasper. Dat is me een lekker ding. Hij is lief en knap en hij kan heel goed...'

43

'Ja, ja, nu weten we het wel,' zei Job met een grijns. 'Voor jou is verliefd zijn a way of life. Dat is niet waar Kirsten het over heeft.'

'O nee?' Suze knipperde met haar ogen. 'We hadden het toch over vlinders en zo?'

Mees leunde achterover. 'Zullen we erover ophouden? Ik word gek van dat gewauwel van jullie.'

'Precies, gek!' Suze leunde tegen Mees aan. 'Maar ik ben dan ook verliefd.'

'Jij bent altijd verliefd,' bromde Mees.

'Helemaal niet!' Suze keek verontwaardigd. 'Echt?'

Kirsten, Mees en Job knikten alle drie tegelijk. Heel even keek Suze beteuterd, maar toen lachte ze. 'Heerlijk toch? Moeten jullie ook doen. Knap je ontzettend van op.'

Mees sloeg zijn armen over elkaar. 'Vind je het erg als ik even pas?'

'O jee... ja, sorry.' Suze sloeg haar hand voor haar mond. 'Ik ook altijd met mijn grote bek. Ik dacht helemaal niet aan jou. Jij zit niet te wachten op vrolijke verhalen over verliefd zijn en vlinders in je buik net nu Kirsten...'

'Suze!' Job schoot uit zijn slof.

'Oeps, doe ik het weer.' Suze perste haar lippen op elkaar. 'Mmik mpzeg mpniets mpmeer.'

Mees keek naar Suzes verwrongen gezicht en voelde een glimlach opkomen. 'Je moest jezelf nu eens zien.'

Suze stond op. 'Waar is hier een spiegel?'

'Wat moet je nou met een spiegel, tut?' riep Job. 'Die barst meteen als jij erin kijkt.'

'Moet jij nodig zeggen met je stoppelkop,' zei Suze.

'Kijk jij überhaupt wel eens in de spiegel?'

'Nee.'

'Nee?' Suze fronste haar wenkbrauwen. 'En dat geef je gewoon toe.'

'Ja, waarom niet?' Job hief zijn hoofd. 'Ik heb geen spiegel nodig. Ik ben van nature al perfect.'

Mees glimlachte. 'Jullie zijn echt knettergek. Stelletje weirdo's.'

Kirsten kneep in zijn hand. 'Je lacht.' Het was geen vraag, maar een constatering. 'Je bent niet meer boos?'

Mees aarzelde. Maar Kirsten had gelijk. Zoals altijd. De boosheid was inderdaad verdwenen.

'Zijn we oké?' Kirstens ogen smeekten om een bevestiging.

'We zijn oké,' fluisterde Mees en hij voelde de lippen van Kirsten op zijn wang.

'Wij ook?' Suze boog naar voren en kuste Mees op zijn andere wang.

Job kwam grijnzend naar voren, maar Mees hield hem tegen. 'Als je het waagt!'

'Oké, oké,' riep Job en hij deed een stap naar achteren. 'Ik houd me in.' Zijn ogen schitterden en hij tuitte zijn lippen. 'Dan maar zo.'

Mees staarde naar de kusbeweging die Job maakte en voelde het bloed naar zijn hoofd stijgen. De warmte kroop omhoog en liet hem zweten. Zijn lichaam tintelde. Wat gebeurde er? 'Sorry, meiden,' zei hij en hij ontworstelde zich aan hun armen. 'Even te benauwd.'

45

Mees stond op en haalde zijn beide handen door zijn haar. Met geheven armen bleef hij staan. Langzaam zakte de warmte weg. Met een schuin oog keek hij naar Job en de meiden. Zo te zien had niemand iets gemerkt.

'Dit moeten we vieren,' zei Job en hij legde zijn hand heel even op Mees' schouder. 'Iemand iets drinken? Ik trakteer.' Hij pakte Mees' glas. 'Uit de koelkast van Mees.'

Mees liet zijn armen zakken. 'Cola,' zei hij en zijn stem trilde.

Suze en Kirsten wilden ook cola.

Mees staarde naar Job terwijl hij naar de keuken liep. Het viel hem nu pas op hoe slank zijn vriend was. Job was ruim één meter negentig, waarvan zijn benen een groot gedeelte innamen. Toch kwam hij niet slungelig over. Integendeel. Zijn soepele tred maakte indruk. Met zijn kaarsrechte rug, gespierde lichaam en opgeheven kin was Job iemand die zelfvertrouwen uitstraalde. Mees had Job nog nooit in de weer gezien met gewichten of halters. Het leek wel of Jobs hele lichaam doordrenkt was van perfectie. Job had gelijk. Hij had geen spiegel nodig. Zelfs niet om zijn korte blonde haar in model te brengen. Dat zat altijd goed. Geen gel, niets. Gewoon Job.

'Aanpakken,' riep Job, die de kamer in kwam lopen met vier glazen cola tussen zijn vingers ingeklemd. 'Twee koude en twee lauwe cola, want ik moest een nieuwe fles uit de bijkeuken pakken.'

Mees schrok op uit zijn gedachten. Job overhandigde Suze en Kirsten een glas en reikte hem met een knipoog het laatste glas aan. 'Hier, moppie.'

'Waar gaan we vanavond heen?' vroeg Suze. 'Dansen in The Palace? Of gewoon naar het Bikkertje?'

'Ik heb niet zo'n zin om te dansen,' zei Kirsten en ze keek met een schuin oog naar Mees.

Op de achtergrond klonken stemmen. Job draaide zich om en liep naar de tv. 'Kan dat gezwam niet uit?' Hij bukte en zette de tv uit. Mees zag de spieren in Jobs bovenbenen samenspannen, waardoor zijn broek iets zakte en zijn onderrug zichtbaar werd. Een tintelend gevoel raasde door Mees zijn buik.

Hij nam een slok van zijn cola en verslikte zich. Hoestend boog hij voorover en veegde zijn mond droog. Het zweet brak hem uit.

'Gaat het?' vroeg Kirsten en ze legde een hand op zijn rug.

'Ja, ja, prima.' Mees leunde met zijn ellebogen op zijn knieën. Zouden ze gezien hebben dat hij knalrood werd?

Kirsten wreef met haar hand over zijn rug. Het maakte hem in de war. Waarom gebeurde er nu niets? Ze zat vlak naast hem, maar de warmte die hij voelde, ebde weg. 'Dank je,' fluisterde hij. Hun blikken kruisten elkaar en Mees wist dat ze gelijk had. Ze waren vrienden, meer niet. Met een schuin oog keek hij naar Job. Een onrustig gevoel bekroop hem.

'Gaan we überhaupt nog stappen?' vroeg Suze ongeduldig. 'Ik moet effe chillen. Die wiskundetoets moet zo snel mogelijk uit mijn systeem.'

'Verknald?' Kirsten keek bezorgd. Ze wisten allemaal

dat Suze er slecht voor stond. Bijna met alle vakken stond ze onvoldoende. Als het zo doorging, moest ze van school af, had de conrector gezegd. Ze was al een jaar blijven zitten. Er was geen tweede kans.

Suze zuchtte. 'Echt, ik snapte het allemaal. Maar dan krijg ik dat toetsblad voor mijn neus en dan is het net of mijn brein ermee stopt. Ik ben gewoon niet geschikt voor school.'

'Ben je naar studieles geweest?' vroeg Mees, die blij was dat zijn aandacht werd afgeleid. Hij wist dat Suze zo min mogelijk met school bezig wilde zijn, maar de studielessen waren juist bedoeld voor als je wat extra hulp kon gebruiken.

Met een schuin oog zag hij dat Job naar hen toe kwam lopen.

'Ja, drie keer,' antwoordde Suze. 'En ik heb de oefentoets gemaakt. Dat ging perfect.' Ze knipperde met haar ogen. 'Een paar kleine dingen maar die ik niet wist.'

'Wiskunde is gewoon een snapvak,' zei Kirsten. 'Je kunt het niet echt leren.'

'Wel oefenen,' zei Mees. 'Veel oefenen. Wiskunde B is heel anders dan wiskunde A. Daar moeten je hersenen aan wennen.' Hij had het zelf ondervonden en met veel oefenen zijn cijfer opgehaald. Hij betwijfelde of Suze haar tijd besteedde aan leren. Ze was veel te druk met andere dingen. Jongens, uitgaan, feesten. Hij verdacht haar zelfs van blowen. Soms stonden haar ogen zo raar.

'Kun je geen bijles krijgen?' vroeg Kirsten. 'Je moet iets doen.'

'Ik kan toch geen bijles nemen voor alle vakken?' Suze hief haar handen. 'En het kutte is dat het echt niet aan mij ligt. Voor Frans sta ik een vier, maar dat kwam door die ene toets die niemand goed maakte. Engels is helemaal verknald omdat ik een boekverslag niet op tijd inleverde. Wist ik veel! Ik had het verkeerd in mijn agenda gezet. Het is toch belachelijk dat dat mens daar geen rekening mee wil houden? Wiskunde dus een drie en met de toets van vandaag mag ik hopen dat het niet een twee wordt. Voor Nederlands sta ik een vijf, maar dat komt doordat we alleen maar grammaticatoetsen hebben gehad. Daar ben ik gewoon niet goed in. En die drie voor aardrijkskunde komt doordat die vent het gewoon niet goed uitlegt. Niemand snapt het.'

'En dus had iedereen een drie?' vroeg Job met een lichte grijns. Hij leunde met een been op de bankleuning.

'Weet ik veel,' snauwde Suze. 'Ik bemoei me niet met anderen. Zal best.' Ze stond op. 'Dus wil ik vanavond uit. Even helemaal weg van deze klotewereld waarin je van alles moet. Waar gaan we naartoe? Ergens waar heel veel leuke jongens zijn.'

'En Kasper dan?' vroeg Kirsten.

'Kasper?'

'Ja, je nieuwe vlam. Die lieve, knappe jongen die zo goed kan...' Kirsten maakte een kusbeweging met haar lippen.

Suze haalde haar schouders op. 'Hij kan vanavond niet. Hij moet op zijn kleine zusje passen.'

'Ah, dat is lief.'

'Zegt-ie,' mompelde Suze.

'Hoezo? Vertrouw je hem niet?'

'Nee, eigenlijk niet, nee.'

'Is daar een reden voor?'

'Volgens mij heeft hij helemaal geen klein zusje.' Suze rechtte haar rug.

Mees moest zijn lachen inhouden. 'Dat meen je niet?'

'Dat meen ik wel,' zei Suze. 'En ik wil hier eigenlijk helemaal niet over praten.'

'Jij begon.'

'Ja, dat is waar.' Suze haalde diep adem.

'Dumpen die handel,' zei Kirsten.

Suze frummelde met haar vingers. 'Maar hij zoent zo lekker.' Ze keek haar vrienden aan. 'En hij heeft goede handel.'

Mees fronste zijn wenkbrauwen. Dus toch. 'Jij bent gek.'

'Misschien,' zei Suze. 'Maar het voelt zo goed als ik...' Ze wachtte even. 'Ik wil me gewoon niet zeven dagen per week kut voelen,' riep ze. 'Ik bedoel, wat heb ik nou voor een leven? Van maandag tot en met vrijdag zit ik opgesloten en krijg ik alleen maar te horen hoe dom ik ben. Mag ik dan ook een keertje positieve aandacht?'

'Dat noem jij positieve aandacht?' zei Job. 'Sletten voor een jointje?'

'Dat is gemeen,' fluisterde Suze.

'Nee, dat is de waarheid.' Job zette zijn glas neer en ging voor Suze staan. 'Je bent veel te slim om jezelf zo omlaag te halen.'

'Blijkbaar niet dus.' Suze sloeg haar ogen neer. 'Jullie begrijpen toch wel dat...'

'Nee, dat begrijp ik niet,' zei Kirsten. 'Suus, je moet stoppen met die troep en met die Kasper. Kijk nou wat je doet! Je laat je door hem gebruiken alleen maar omdat je jezelf wilt verdoven.'

'Is dat zo erg dan?' Suze draaide zich om. 'Mijn moeder heeft het veel te druk met haar nieuwe liefde. Die zit elk weekend in Zeeland. En nu mijn hond dood is, heb ik niemand meer.' Ze snikte.

'Je hebt ons toch,' zei Mees.

'Ja, je hebt ons,' herhaalde Job en hij greep Suze bij beide armen vast. 'En wij gaan vanavond stappen en lol maken.' Hij drukte Suze tegen zich aan en hield haar vast. 'Iemand nog cola?' vroeg Mees.

Niemand reageerde.

'We gaan stappen,' bevestigde Kirsten. 'Zonder Kasper en zonder spul.'

Suze knikte. 'Mag ik dan dit weekend bij jou logeren?' Ze sloeg haar ogen neer. 'Ik wil niet alleen zijn.'

Kirsten aarzelde.

'Please?'

'Ik weet niet. Mijn ouders...' Kirsten glimlachte. 'Ik kom wel naar jou, oké?'

Suze knikte. 'Ook goed.'

Hoofdstuk 5
Spijt

Mees stond al in de rij toen Job aan kwam lopen en zich bij hem voegde. Het was halftwaalf en The Palace stroomde langzaam vol.

'Hé man! Achter aansluiten,' riep een stem.

Job stak zijn middelvinger op en begroette Mees. 'Sta je er al lang?'

'Nee, niet echt.' Mees deed een stapje naar voren en Job volgde.

The Palace was een te gekke tent waar het in het weekend altijd beredruk was. Soms waren er ook grote feesten met bekende dj's.

'Zijn de meiden al binnen?' vroeg Job.

'Niet dat ik weet.' Mees schoof weer iets naar voren. 'Ik denk dat Kirsten eerst haar spullen bij Suze brengt en zich daar omkleedt, dus dat kan wel even duren.'

Job grijnsde. 'Mooi. Dan gaan deze twee vrije jongens eens op chickiesjacht.'

Ze kwamen bij de ingang en lieten hun ID zien. Na betaling en een stempel op hun hand, liepen ze naar binnen.

'Wat ben je stil.' Job gaf Mees een stomp. 'We gaan niet sippen vanavond, oké?' Zonder een antwoord af te wachten, ratelde hij verder. 'Geloof mij! Het beste medicijn is losgaan. Ik heb wel zin in een feestje.' Hij wees naar de bar. 'Kijk daar eens.'

Mees keek naar de twee meiden die bij de bar stonden. Ze hadden duidelijk in de gaten dat Job naar hen wees. Een van de meiden zwaaide.

'Hoe mooi wil je het hebben?' zei Job en hij liep naar de bar.

Mees bleef staan en keek om zich heen. Waar bleven Suze en Kirsten? Hij had helemaal geen zin om meiden te versieren. En hij merkte dat hij het Job kwalijk nam dat hij dat wel deed. Ze waren net binnen!

Mees zag Job met de meisjes praten. Waarschijnlijk had hij een van zijn magische openingszinnen gebruikt. Daar was Job goed in. Hij had een hele verzameling in een schrift staan. Door de jaren heen opgespaard. Job had ze stuk voor stuk gebruikt. De ene zin iets vaker dan de andere, maar ze waren allemaal effectief, zoals Job dat zo mooi kon zeggen.

De meisjes lachten en bewogen heel overdreven met hun lichaam. Slangen. Het leken net slangen die op het punt stonden Job te verslinden. Met huid en haar. In zijn hoofd drong zich het beeld op van een slang die een hele geit naar binnen schrokte. De vorm van de geit was zichtbaar in het slangenlijf en bewoog langzaam, en met schokkende bewegingen, naar achteren. Een golf van boosheid en onmacht bewoog door zijn lichaam en hij voelde de haren op zijn armen omhoogkomen. Hij schrok van zijn plots opgekomen woede.

'Daar zijn we!' Suze kwam voor hem staan en trok aan zijn oorlel. 'Is Job er ook al?'

Mees herstelde zich en knikte in de richting van de bar. 'Zoals je ziet.'

'O nee, toch niet die trutten van het Barend College?' Terwijl Suze met grote stappen naar de bar liep, kwam Kirsten naast Mees staan. Ze legde haar hand op zijn arm. Haar lippen vormden zonder geluid twee woorden. 'Gaat het?'

'Prima.'

'Dus je begrijpt het?' Kirsten glimlachte. 'Ik ben zo blij dat je het ook zo voelt. Stel je voor dat we waren doorgegaan. Dan hadden we misschien wel...' Ze wachtte even en keek naar Mees. 'Nou ja, je snapt het wel, toch? Zoiets doe je alleen als je echt van iemand houdt. Iemand waarmee je je leven wilt delen.'

Mees' ademhaling stokte. De woorden van Kirsten kwamen hard aan. Moest dit hem nu nog een keer worden ingewreven?

'O, waarom kan ik de juiste woorden niet vinden.' Kirsten schudde haar haren naar achteren. 'Wat ik bedoel te zeggen is dat jij toch ook niet wilde dat wij...'

'Het is oké!' Het kwam er iets feller uit dan hij bedoelde, maar het had wel effect. 'Ander onderwerp.'

Mees draaide zich half om en keek naar Suze, die nu bij Job en de twee meiden stond. Waarom bleven meiden altijd zo doorzeuren over dingen die gebeurd waren en waar je toch niets meer aan kon veranderen. Kirsten had haar keuze gemaakt en daar moest hij het mee doen. Erover doorpraten had geen zin. Dat maakte dingen alleen maar gecompliceerder. 'Slaap je vannacht bij haar?'

'Ja,' antwoordde Kirsten. 'En morgen ook. Haar moeder is weer eens in Zeeland. Zo stom! Dat doe je toch niet? Je kind alleen thuislaten en zelf bij je vriend gaan logeren? Weet je, als ik later kinderen heb met de liefde van mijn leven, dan zal ik ze nooit...' Ze onderbrak zichzelf. 'Oeps. Sorry.' Ze wiebelde wat ongemakkelijk op haar benen. 'Dat is niet leuk voor jou. Ik bedoel... dat ik dat zei over de liefde van mijn leven. Ik bedoelde natuurlijk dat...' Ze gromde en balde haar vuisten. 'Grrrr, ik maak het alleen maar erger met mijn gezwam.'

'Inderdaad.' Het was eruit voordat hij er erg in had. Mees draaide zich weer naar Kirsten.

'Zie je wel! Ik moet op een cursus of zo,' mompelde Kirsten. 'Hoe houd ik mijn mond in stressvolle situaties.'

Mees schoot in de lach. 'Ik zou meteen de cursus voor gevorderden doen. Hoe houd ik in alle situaties mijn mond.'

Kirsten knikte. 'Goed idee. Echt, doe ik! Zodra er zo'n cursus is, meld ik me aan.'

'Je kunt vast een beetje trainen,' vervolgde Mees. 'Plakband doet wonderen.'

Kirsten knikte. 'Heb jij een rolletje bij je? Dan begin ik meteen.'

'Nee, maar bij de bar hebben ze vast wel iets wat erop lijkt.'

'Je bent een schatje.' Kirsten gaf hem een kus op zijn wang. 'Wat moet ik toch zonder jou?'

'Geen idee. Je zult ermee moeten leren leven.' Mees grijnsde. 'Eigen schuld, dikke bult.'

Kirsten drukte zich tegen hem aan en zuchtte. 'Ik ben zo blij. Konden we maar eeuwig zo blijven staan.'

'Liever niet,' zei Mees en hij liet Kirsten los. 'Dan komen we niet toe aan de liefde van ons leven.'

Kirsten liet hem los. 'O? Hoor ik daar een bekentenis?' Haar stem klonk nieuwsgierig.

Mees fronste zijn wenkbrauwen. 'Nee, hoe kom je daar nu bij?'

'Hmm.' Kirsten keek hem onderzoekend aan. 'Ik kreeg het idee dat je al iemand op het oog had.'

Mees schudde zijn hoofd. 'Nee, jij?'

'Nee.' Kirsten sloeg haar ogen neer. 'Niet echt.'

'Niet echt? Of echt niet?'

Kirsten zweeg.

'Kirsten?' Mees drong aan. Dus toch! Al dat gepraat over vlinders in je buik missen en weten dat je niet echt verliefd bent. Ze was verliefd op iemand anders. 'Wees eerlijk.'

Kirsten knikte. 'Oké, oké.' Ze haalde diep adem. 'Ik ben verliefd op iemand. Maar die iemand weet het niet en dat wil ik graag zo houden. Soms is verliefd zijn niet handig.'

Mees moest de bekentenis van Kirsten tot zich door laten dringen. Wat bedoelde ze? Was ze verliefd op iemand die onbereikbaar was? Een getrouwde vent? Een leraar? Mees' gezicht betrok.

'Maar daarom wist ik dat wij vrienden waren,' zei Kirsten. 'Verliefd zijn is zo anders.' Ze keek omhoog en zuchtte. 'Zo intens. Alles in je lichaam verlangt naar die ander. *Twenty-four seven*. Je hart maakt overuren, je hersenen weigeren gewoon logisch na te denken en al je zintuigen staan op scherp. Verliefd zijn is niet te stoppen. Pijnlijk bijna.' Ze keek naar Mees. 'Maar ik ben blij dat het gebeurd is. Ik weet nu het verschil tussen vriendschap en verliefd zijn.' Ze keek hem onderzoekend aan. 'En jij? Voelde jij dit wel voor mij dan? Nee, toch?' Ze aarzelde. 'Of wel?'

Mees boog zijn hoofd. Hij herkende niets van haar beschrijving. Wat hij voor Kirsten voelde was niet pijnlijk, maakte hem niet verward. Het voelde juist veilig en vertrouwd. Iets wat er gewoon altijd was. Net als zijn ouders, zijn broertje.

Mees slikte en voelde dat zijn keel dichtzat. Hij had zijn vriendschap met Kirsten verward met verliefd zijn. Maar hoe kon hij dat weten als hij nog nooit verliefd was geweest?

'Mees, gaat het?' Kirsten pakte zijn hand.

'Je hebt gelijk.' Mees keek op en hij wist dat zijn ogen vochtig waren. 'Ik ben blij dat je eerlijk tegen me bent.' Hij sloeg zijn armen om haar heen. De warmte van haar hals maakte hem rustig.

'Ik weet zeker dat jij ook een keer echt verliefd wordt op iemand,' fluisterde Kirsten. 'En ik zou het fijn vinden als je mij dan in vertrouwen neemt.' Ze duwde hem iets van haar af. Haar handen hielden zijn bovenarmen vast. 'Wat wij hebben is heel bijzonder en dat wil ik nooit kwijt. Beloofd?'

'Beloofd.' In de verte klonk gelach en Mees besloot het erop te wagen. 'Op wie ben je verliefd? Ken ik hem?'

Kirsten verstijfde en schudde haar hoofd. 'Doe maar niet,' zei ze zacht. 'Laat me maar even, goed?' Ze liet Mees los en deed een stap naar achteren. 'Denk je dat het Suze lukt om Job los te weken van die meiden?' Ze wees naar de bar. 'Kijk nou!'

Samen keken ze toe hoe Suze Job bij zijn arm greep. Mees glimlachte. 'Ik denk van wel.' Je kon zeggen wat je wilde van Suze, maar als ze eenmaal iets in haar hoofd had, kreeg je dat er niet meer uit.

'Het is een puinhoop daar in huis,' zei Kirsten. Haar stem klonk bezorgd. 'Echt niet normaal.'

'Suze is geen opruimwonder,' reageerde Mees. 'Dat weten we toch.'

'Ja, maar haar moeder is er toch ook nog? Suze had niets om aan te trekken. Al haar kleren lagen in de wasmand en stonken.'

Mees keek naar de jurk van Suze. 'Ik dacht al, waar ken ik die jurk van? Staat haar goed.'

'Het is toch belachelijk?' ging Kirsten verder. 'Geen wonder dat het niet gaat op school. Ze krijgt helemaal geen support thuis.'

'Suze is oud en wijs genoeg om zelf ook iets te doen, hoor,' zei Mees.

Kirsten schudde haar hoofd. 'Het is daar vies. Echt, ik wil daar vannacht helemaal niet slapen.' Ze beet op haar lip.

Mees zag dat Kirsten oprecht bezorgd was. 'Dan slapen jullie vannacht toch bij jou thuis.'

'Je weet dat dat niet kan.'

'Waarom niet? Bij jullie is het toch schoon?'

'Schoon ja, maar niet chill.'

'Omdat je ouders wel eens ruziemaken?' Mees wist hoe moeilijk Kirsten het had met het geruzie van haar ouders.

'Wel eens?' Kirstens stem sloeg over. 'Mees, de sfeer is om te snijden thuis. Het wordt steeds erger. Altijd op je tenen lopen, omdat je niet weet hoe en wanneer de boel ontploft. Je moeder met rode ogen zien rondlopen in huis. Je vader die met deuren smijt, omdat hij er niet tegenop kan met woorden. Het is zo kinderachtig en zielig tegelijk.' Ze slikte. 'Het liefst ben ik nooit meer thuis. Als het niet zo vies was bij Suze, dan bleef ik bij haar logeren. Voor altijd.'

'Dat meen je niet.'

'Dat meen ik wel.' Kirsten keek strak voor zich uit. 'Mijn ouders kunnen wat mij betreft...'

'Niet doen.' Mees pakte haar arm. 'Daar krijg je spijt van.'

Kirsten zweeg.

'Waarom komen jullie niet bij mij logeren vannacht?'

Mees schrok van zijn eigen woorden, maar hij meende wat hij zei.

'Bij jou?' Kirsten keek hem aan. 'Suze en ik... samen?'

'Ja, waarom niet? Twee matrasjes met slaapzakken op de grond en klaar is Mees. Maak ik morgenmiddag een lekker ontbijtje, maken we samen huiswerk en dan zien we wel wat de zaterdag brengt. Wat mij betreft blijven jullie tot zondag. Ik moet 's middags voetballen, dus tot enen kan makkelijk.'

'Nou, ik weet niet...'

'Ik ken je toch? Je blijft anders de hele avond piekeren.'

Terwijl hij de woorden uitsprak, bedacht hij dat hij dit wel eerst moest overleggen thuis. Hij wist dat zijn moeder niet van onverwachte visite hield. 'Ik bel even naar huis, goed?'

Hij draaide zich om en pakte zijn mobiel. 'Pap?' Hij drukte zijn vrije oor dicht om het lawaai te dempen.

'Mees? Alles goed?'

'Ja, alles oké. Waarvoor ik bel: Suze en Kirsten slapen straks bij mij. Wil jij die twee matrasjes en slaapzakken vast neerleggen. Dan hoef ik dat vannacht niet te doen. Maak ik niemand wakker.' Het was geen vraag, maar een mededeling.

'Toe maar... twee meiden nog wel! Nou, mijn zegen heb je.' Er klonk een lach.

Mees probeerde de insinuaties van zijn vader te negeren. 'Oké, thanks pap. Tot straks.' Hij verbrak de verbinding en knikte naar Kirsten. 'Geregeld.'

Kirsten keek tevreden. 'Hoe leggen we dit uit aan Suze?'

'Gewoon,' zei Mees en hij dacht aan de woorden van zijn vader. 'Zeg maar dat ik extra troost nodig heb dit weekend.'

Suze en Job kwamen eraan.

'Je kunt wel wat beters krijgen,' zei Suze. 'Wees blij dat ik je kwam redden.'

'Ik wilde helemaal niet gered worden.' Jobs gezicht stond op onweer. 'Waar bemoei jij je mee?'

'Met jou.' Suze keek tevreden. 'We zouden met zijn vieren gaan stappen, zonder gedoe, weet je nog?'

'Dat sloeg meer op jouw blowen, dacht je niet?'

Suzes gezicht betrok. 'En bedankt.'

'Sorry.' Job keek achterom. 'Kijk ze nou staan. Zonde. Het ging zo easy.'

'Lekker laten staan.' Suze leek hersteld van de botte opmerking. 'Vanavond blijven we bij elkaar. Voor Mees.'

Heel even voelde Mees de vingers van Kirsten in zijn arm drukken. 'Eh... ja. Top dat jullie er zijn. Ik kan wel wat afleiding gebruiken.'

'Ja,' zei Kirsten. 'En daarom blijven we vannacht bij Mees slapen.'

Job fronste zijn wenkbrauwen.

'Nee, jij niet,' vervolgde Kirsten. 'Suze en ik.'

'O?' Suze keek verbaasd. 'Hoezo dat? Je sliep toch bij mij?'

'Mees heeft ons nodig.' Kirsten knipperde niet eens met haar ogen. 'Dat zie je toch? Hij wil niet alleen zijn dit weekend, maar ja...' Ze bewoog haar hoofd heen en weer en keek pijnlijk. 'Alleen met mij is ook niet echt handig, toch?'

Suze knikte. 'Dat is waar.'

Mees ontweek de blik van Job. Kirsten maakte er wel een hele toestand van.

'De slaapzakken en matrasjes zijn al geregeld,' zei Kirsten. 'We fietsen straks eerst even langs jouw huis om de spullen op te pikken.'

'Nou,' mompelde Job. 'En ik mag eenzaam en alleen naar huis.' Hij keek nogmaals achterom, maar de twee meisjes waren verdwenen. 'Gezellig!'

'Als je wilt, mag je ook komen,' zei Mees. Het was eruit voor hij er erg in had.

'Ja, leuk,' riep Suze. 'Met zijn vieren.' Ze keek naar Mees. 'Heb je genoeg plek dan?'

'Ik kruip wel bij Mees in bed,' zei Job en hij gaf Suze een knipoog. 'Of mag ik bij jou in de slaapzak?'

'Brrr, nee. Natuurlijk niet. Wat denk je wel?' Suze trok een vies gezicht.

Mees had staan luisteren en liet de woorden langzaam tot zich doordringen. 'Eh... zo breed is mijn bed nou ook weer niet.'

'Kirsten en ik kunnen ook in jouw bed,' stelde Suze voor. 'Dan kunnen jij en Job in een slaapzak.'

Job sloeg een arm om Mees heen. 'Welnee, Mees en ik kruipen gewoon dicht tegen elkaar aan.' Hij zuchtte. 'Bij gebrek aan dames, houden wij mannen elkaar wel warm, toch?'

'Jazeker.' Mees dook onder de arm van Job vandaan. 'Iemand iets drinken?' Terwijl hij naar de bar liep, probeerde hij zijn ademhaling weer onder controle te krijgen. Dit liep helemaal uit de hand.

De rest van de avond werd er niet meer gesproken over de logeerpartij. Ze dansten, dronken en lachten en bleven bij elkaar. Vroeg in de ochtend fietsten ze naar het huis van Suze.

'Twee tellen,' riep Suze en ze opende de voordeur. 'We zijn zo terug.'

'Moet jij ook nog wat logeerspullen halen thuis?' vroeg Mees, die met Job buiten bleef wachten. 'Pyjama of zo?'

Job schudde zijn hoofd. 'Welnee, ik slaap wel in mijn onderbroek.'

Mees slikte. 'Tandenborstel?'

'Van een keertje niet ga je niet dood,' antwoordde Job. 'Als ik nu naar huis ga, maak ik mijn ouders wakker. Ik heb ze een berichtje gestuurd. Ze lezen morgenochtend wel dat ik bij jou ben.'

Zwijgend wachtten ze op Suze en Kirsten.

'Sorry, het duurde even.' Kirsten kwam naar buiten gelopen. 'Suze kon haar koffer niet vinden.'

'Koffer?' Job schoot in de lach. 'Ze gaat toch niet verhuizen?'

Een rode leren koffer schoof door de deuropening naar buiten. Suze stapte eroverheen en trok de deur achter zich dicht. 'Daar ben ik.'

'Hoe wil je die meenemen?' vroeg Job.

'Gewoon, achter op de fiets.' Suze tilde de koffer op

haar bagagedrager en zette hem vast met de snelbinder. Haar fiets wiebelde.

'Wat zit er allemaal in, zeg?' vroeg Mees. 'Je blijft maar één nachtje, toch?'

'Eén nachtje of drie weken,' zei Suze. 'Je moet toch alles meenemen.'

'Zoals?'

'Nou, tandenborstel, haarborstel, dagcrème, nachtcrème, pyjama, sloffen, föhn...'

'Die hebben wij thuis ook, hoor.'

'Met krulopzetstuk?'

'Eh... gewoon zo'n ding dat hete lucht blaast.' Mees had er nu al spijt van dat hij zijn vrienden had uitgenodigd.

Hoofdstuk 6
Betrapt

'Is er iets?' Kirsten fietste naast Mees. Het was maandagochtend en ze hadden het eerste uur vrij. Suze fietste een stuk achter hen.

'Nee, wat zou er moeten zijn?' Mees hing voorovergebogen op zijn stuur en versnelde. Kirsten hield in. 'Humeurtje.'

Terwijl Kirsten naast Suze ging fietsen, trapte Mees flink door. Hij had even geen zin in gezelschap. Zijn eigen gezelschap was al vermoeiend genoeg. De wind kwam pal van voren, zijn benen ramden alle gedachten weg.

Met een paar minuten voorsprong kwam hij op het schoolplein aan. Met een snelle blik zag hij dat Job zijn fiets er nog niet stond. Mooi!

Behendig schoof hij zijn voorwiel in het rek, zette zijn fiets op slot en zwaaide zijn tas over zijn schouder. In de verte zag hij Kirsten en Suze aankomen. Hij draaide zich om en liep de school in. Het was nog stil bij de kluisjes en even later zat hij in de aula op zijn vaste plek, achterin, bij het raam achter de plantenbakken.

Zijn hart bonkte in zijn keel. Te snel gefietst. Hij wist dat hij zichzelf nu in de maling nam. Snel fietsen had hem nog nooit buiten adem gebracht. Zijn conditie was prima. Maar hij moest het een reden geven. De zenuwen gierden door zijn keel. Zo dadelijk zouden ze er zijn. Kirsten, Suze en Job. Ze zouden bij hem komen zitten, net als alle dagen hiervoor. Wachtend op de bel, napraten over het weekend. Het weekend.

Mees verdrong de beelden. Kon hij het afgelopen weekend maar wissen uit zijn brein. Delete... en weg! Het was allemaal Kirstens schuld. Als zij niet... Hij balde zijn vuisten. Het kon niet! Hij wilde het niet. Het beste was om er niet aan te denken. 'Focussen,' mompelde hij. Focussen op andere dingen. Leuke dingen. De wedstrijd gister.

Mees ontspande. Ze hadden gewonnen met vijf-nul en hij had er drie voor zijn rekening genomen. Ongelooflijk maar waar. Als linksachter had hij gewoon drie keer gescoord. Zelfs Bernd had hem gefeliciteerd met zijn goede spel. 'Je hebt vleugels vandaag,' had hij gezegd.

Vleugels. Was het maar waar. Als hij vleugels had gehad, zat hij nu niet hier. Dan was hij naar de andere kant van de wereld gevlogen, naar een plek waar niemand hem kon vinden. Een plek zonder emoties, zonder confrontaties. Een onbewoond eiland. Ergens waar Job niet was.

Nee, het waren geen vleugels die hem gisteren lieten schitteren in de wedstrijd. Het was pure frustratie geweest. Boosheid vermengd met ongeloof en angst. Dat Bernd er was, vond hij stoer en tegelijkertijd beangstigend. Het kwam te dichtbij. De jongens van het team hadden niets gezegd. Zelfs Eric niet. Iedereen had gespeeld. En Bernd had hen, net als altijd, gecoacht. Niemand had een woord gezegd over...

Mees zuchtte. Zelfs in gedachten kon hij het niet uitspreken. Hij was blij dat het geen toestand was geworden. Bernd bleef gewoon hun trainer.

'En zo hoort het ook,' had Bernd gezegd toen hij vooraf aan de wedstrijd uitleg gaf over zijn gesprekken met het bestuur en een aantal ouders. 'Alles is oké en we gaan ervoor.'

Vanuit zijn ooghoeken zag Mees dat Job de aula in kwam lopen, samen met Bilal en Pieter. Met een beetje geluk zagen ze hem niet en gingen ze aan de lege tafel in het midden zitten. Maar het geluk liet hem in de steek.

'Hé Mees!' Job stak zijn hand op en kwam naar hem toe. 'Drie keer gescoord, las ik op Facebook?' Hij pakte een stoel en plofte erop neer. Pieter en Bilal kwamen erbij zitten.

'Top, man!' riep Bilal. 'Spits?'

'Nee, achter,' antwoordde Mees, die blij was dat het gesprek over voetbal ging.

'Des te vetter!'

Mees glimlachte. Wanneer ging de bel?

'Ik wist niet dat jij op voetbal zat,' zei Pieter.

'Al jaren,' antwoordde Job. 'En hij is goed. Ze noemen hem ook wel de Sloper.' Job grijnsde. 'Mees schoffelt iedereen onderuit die te dicht in de buurt van de goal komt.'

'Zo.' Pieter strekte zijn benen en gaapte. 'Zou je niet zeggen.'

'Zeker wel!' Job legde zijn hand op Mees zijn bovenbeen en kneep erin. 'Moet je deze spieren voelen.'

Mees schrok en trok zijn been weg. Hij voelde het bloed naar zijn wangen stromen.

'Sorry!' Job lachte. 'Kneep ik te hard?'

Pieter gaf Mees een knipoog. 'Nee, je kneep op de verkeerde plek, toch Mees? Je krijgt er een kleur van.'

Het zweet brak Mees uit. Pieter moest zijn grote bek houden. Wanneer ging die fucking bel?

'Mees is een toptalent.' Job gaf hem een klap op zijn rug. 'Jullie zijn gewoon jaloers. Als deze meneer later bakken met geld verdient in de Eredivisie en met mij in zijn Ferrari rondrijdt, piepen jullie wel anders.'

'Dat moet ik eerst nog maar zien.' Pieter grijnsde. 'Ik heb nog nooit een homo in het betaalde voetbal gezien.' Hij stak zijn beide handen omhoog. 'Hé, ik bedoel daar niets mee. Het is puur een constatering.'

Job keek pissig 'Lul niet. Mees is geen homo.'

'Dat zeg ik toch niet.'

'Maar je bedoelt het wel. Jezus, man... wat ben jij zielig.' Job wenkte Mees. 'Ga je mee?'

Mees had al die tijd verstijfd op zijn stoel gezeten. Ze hadden het over hem en hij zei niets. De woorden van

Job moesten hem helpen, maar zorgden voor een tegenovergesteld effect. Ze maakten dat hij zich nog rotter voelde. Het was aardig dat Job hem verdedigde, maar wat schoot hij ermee op? Het gevoel ging niet weg. Integendeel. Het werd alleen maar sterker.

Mees stond op. De blikken van Bilal en Pieter maakten hem onzeker. Hij sloeg zijn ogen neer, maar wist dat het niet meer te stoppen was. Bilal en Pieter waren niet de enigen die er zo over dachten. Hij kon de wereld niet uitzetten.

Op dat moment klonk de bel.

'Saved by the bell,' zei Pieter en ook hij stond op. Met een ferme klap op Mees zijn schouder rondde hij het gesprek af. 'Doe niet zo moeilijk, man. Zeg het gewoon.' Hij lachte. 'Weten we allemaal waar we aan toe zijn.' Samen met Bilal liep hij de aula uit.

Mees bukte en pakte zijn tas.

'Laat ze,' zei Job. 'Stelletje pestkoppen.'

Zwijgend liep Mees met Job mee naar het wiskundelokaal. Het tolde in zijn hoofd, maar alle woorden schoten tekort. Het ergste was nog dat Job geen flauw idee had wat hij het afgelopen weekend bij hem had losgemaakt.

Steeds weer zag Mees de beelden voor zich. Zijn kamer. Suze en Kirsten in hun slaapzak op de grond, giechelend. Het nachtlampje bij zijn bed dat de kamer verlichtte. De warmte van Jobs lichaam naast hem. Het was krap, maar het ging. Net zoals Job had gezegd. Dicht tegen elkaar aan, zodat ze niet uit bed zouden vallen.

Lachend had Job zijn benen schuin over die van Mees

69

gelegd, omdat het bed te kort was voor hem. Mees had zich nog nooit zo rot gevoeld bij zo veel gezelligheid. Ze hadden niets in de gaten. Suze, Kirsten en Job. Zijn beste vrienden. Was het dan zo onmogelijk? Verbeeldde hij het zich maar? Liet hij zich gek maken door mensen als Pieter?

Maar waarom reageerde zijn lichaam dan zo extreem? Precies zoals Kirsten had verteld vrijdagavond. Alle kenmerken herkende hij bij zichzelf. Hij was verliefd. Alles klopte. Zelfs de pijn die Kirsten had beschreven, voelde hij.

Het kon niet. Hij wilde het niet. Het ging vanzelf wel weg als hij er niet aan dacht. Hij moest beter zijn best doen. Met meisjes omgaan, verkering zoeken. De aandacht afleiden. Zijn blik richtte zich op een stel meiden die tegen de muur leunden bij lokaal 211. Lang, blond haar... ja, er stond er eentje tussen. Lang blond haar was sexy volgens de jongens van zijn team.

'Hé!' Job stootte hem aan. 'Waar zit jij met je gedachten? Trek het je niet aan. Het is toch niet waar?' Zonder een antwoord van Mees af te wachten, ging hij verder. 'Nou dan!'

Mees knikte wat onbeholpen.

'Jij en ik weten hoe het echt zit, toch?' Job grijnsde. 'Ik zag je heus wel kijken, hoor.'

Mees keek op.

'Die met dat blonde haar, hè?' Job lachte. 'Goede keuze. Dan richt ik me op die daarnaast. Die met die lange benen.'

Mees lachte mee, maar zijn mond verkrampte. De opmerking van Job deed zeer. Hij zwaaide zijn tas naar zijn andere schouder. Waarom nu? Ontstond zoiets zomaar, of was het er al veel eerder? Had hij het verdrongen? Met Kirsten leek alles zo makkelijk. Niks geen rollercoaster van gevoelens. Veilig en vertrouwd. Als kabbelend water. Nu zat hij op zee. En het stormde. Hij was totaal de controle kwijt over zijn eigen gevoel. Waarom had hij nooit eerder iets gemerkt? Zoiets weet je toch al vanaf... ja, vanaf wanneer? Het duizelde in zijn hoofd. Vragen, vragen, vragen. Zo veel vragen en niemand die hij ze kon stellen.

Tegen vieren was hij thuis. Zijn tas belandde onder de kapstok. 'Mam?'

Een jongensstem antwoordde. 'Die is boodschappen doen.' Thomas zat in de huiskamer en speelde een spel op de televisie.

Mees liep naar de koelkast en schonk zichzelf een glas melk in. 'Leuke dag gehad?'

'Alsof jij dat wilt weten,' antwoordde Thomas kortaf.

'Dan niet!' Mees liep de kamer uit, de trap op en sloeg de deur achter zich dicht. 'Kloteboel!'

Hij draaide zijn bureaustoel en ging zitten. Een korte piep klonk toen hij de computer aanzette. Mees staarde naar het verlichte scherm. Een zachte bromtoon vertelde hem dat het opstarten was begonnen. Hij ging op zoek naar antwoorden. Serieuze antwoorden.

71

Met een snelle muisbeweging opende hij internet. Hij had geen flauw idee waar hij moest zoeken, maar hij had de tijd. Desnoods de hele avond ook.

Dit was anders dan al die andere keren dat hij op internet had gezocht. Hij had het allemaal gezien. Meiden. Jongens. Vrouwen. Mannen. Hoe ze eruitzagen. Hoe het werkte. Films, porno zelfs. Zijn nieuwsgierigheid had hem overal gebracht. Behalve daar.

Mees haalde diep adem. Hij kon maar beter beginnen bij het begin.

In het zoekscherm tikte hij het woord in dat hij zo vaak had gehoord, maar niet durfde uit te spreken. Het waren maar vier letters. H-O-M-O. Vier letters die zijn leven behoorlijk op zijn kop zetten.

De eerste link die het scherm hem gaf, was een startpagina. Mees klikte en er verscheen een pagina vol links naar andere sites. Links boven in de hoek stond een cartoon. Iets over het Songfestival. Mees fronste zijn wenkbrauwen. Wat had het Songfestival er nu mee te maken?

Langzaam scrolde hij naar beneden. De gehele linkerrij werd gevuld met links naar COC's in allerlei regio's. Hij dacht aan de les van Jochem afgelopen vrijdag en herinnerde zich het verhaal achter deze afkorting. Hij scrolde verder.

Beneden hoorde hij de voordeur opengaan. Heel even luisterde hij naar de voetstappen van zijn moeder, maar die verdwenen in de huiskamer. Hij concentreerde zich weer op het scherm. Wat moest hij kiezen? Er waren zo veel links.

Hij nam een besluit en klikte. Zijn ogen vlogen over het scherm. Er verschenen artikelen, reacties, foto's. Mees werd in het scherm gezogen. Dit ging over hem. Hoe kon dit? Hij scrolde en klikte verder. Dit was een compleet andere wereld dan die hij kende. Alsof er twee dimensies waren die los van elkaar functioneerden. Zijn hart bonkte en zijn hele lichaam stond strak van de spanning en opluchting tegelijk. Dit was wat hij wilde weten. Hij was niet de enige. Er waren er meer. Veel meer. Hij klikte op een forumpagina met verhalen en reacties. Jongens die open en eerlijk vertelden over hun gevoel. Wat een lef!

Zijn ogen raasden over de berichten en zochten herkenning.

'...en ik weet het nu zeker, maar durf het niemand te zeggen, omdat ik bang ben. Ik wil het niet.'

'Mijn ouders vonden het niet erg en toen ik het ze vertelde moest ik huilen maar het luchtte wel op. Nu nog mijn vrienden.'

'...zeg maar niets tegen opa en oma, zei mijn vader. Die begrijpen het niet.'

'Mijn moeder zei dat ze het altijd al had geweten, omdat ik anders met meisjes omga en altijd naar jongens kijk op televisie hoe die eruitzien.'

73

'Ik heb verkering met een meisje, maar dat is eigenlijk niet eerlijk, omdat ik verliefd ben op een jongen. Wat moet ik nu doen?'

Mees sloot zijn ogen en dacht aan de avond dat Kirsten het uitmaakte. Ze had gelijk. Vriendschap was iets anders dan verliefd zijn. Zij wist het toen al. Hij wist het nu.

'Ik durf het niet te vertellen op school omdat ik weet dat ik dan veel gezeik krijg thuis door mijn geloof.'

'Ik heb het verteld aan mijn beste vriend en een goede vriendin. Die vriendin zei dat we dan samen jongens gingen kijken en shoppen. Nu mijn ouders nog.'

'Ik vroeg mijn beste vriendin of zij vond dat ik homo was. Ze zei van niet, maar ik zei dat ik het misschien wel ben omdat ik zo soft ben.'

'In de klas vinden de meisjes mij leuk en ik ga veel met ze om. Met jongens niet en nu noemen ze mij homo, maar dat ben ik niet, want ik ben nog nooit verliefd geweest op een jongen.'

Mees knikte. Hij begreep wat de jongen bedoelde. Hoe weet je dat je homo bent als je nog nooit verliefd bent geweest op een jongen? Een enge gedachte kwam bij hem op. Kon je denken dat je homo was omdat je daar altijd mee gepest werd? Dat je het zelf ging geloven?

Meteen daarna rees de vraag: kon je ook verliefd zijn op een jongen terwijl je hetero was? Of was je dan bi? En hoe zat het dan met je genen? Werd je als homo geboren, of besloot je gewoon dat je het wilde zijn? Mees dacht terug aan de woorden van Bernd in de kleedkamer. Niemand wilde homo zijn, had hij gezegd. Was het dan iets wat je overkwam? Dat herkende hij wel. De afgelopen dagen waren een achtbaan geweest. Twee weken geleden dacht hij nog met Kirsten oud te worden. Nu was alles anders. Met wie wilde hij oud worden? Op wie was hij verliefd? Hij voelde van alles, maar was het waar? Was het niet weer een schijnbeweging van zijn emoties?

Mees trommelde met zijn vingers op zijn bureau en las verder.

'Ik heb het verteld aan mijn mentrix, die is zelf lesbisch dus ik dacht dat dat wel kon. Ze zei join the club en nu maken we samen een brief voor mijn ouders, echt chill.'

'Ik las verhalen van moeders die het niet erg vinden, maar mijn moeder zei dat ze het niet leuk vond en dat ik het niet aan mijn vader moest vertellen. Nu voel ik me zo rot.'

Dit was heftig! Zover was hij nog helemaal niet, maar eens moest je het zeggen. Zwijgen was geen optie. Of wel? Waren er homo's die gewoon met een vrouw getrouwd waren? Die het geheimhielden?

Het duizelde hem. Zo veel verhalen. Zo veel vragen. Emoties. Bekentenissen. Ze raakten hem tot op het bot. Hij kon Bernd bellen. Vragen hoe het bij hem was gegaan. Wanneer hij het ontdekt had en hoe.

Nee! Bernd was te dichtbij.

Hij klikte verder en er verschenen bewegende beelden van naakte mannen. Verstrengeld. Close-ups van monden met uitgestrekte tongen, handen die graaiden en...

Mees deinsde achteruit. Zijn gezicht betrok en een golf van walging raasde door hem heen. Tegelijkertijd voelde hij zijn lichaam reageren.

Rauwe muziek vermengd met gehijg schalde door de kamer. Geschrokken klikte Mees de pagina weg en sloot zijn ogen. Het was weer stil in zijn kamer. Zo stil dat hij zichzelf hoorde ademen. Zijn hoofd bonkte van het vele bloed dat met grote snelheid door zijn lichaam werd gepompt. Het was alsof hij buiten zijn lichaam was getreden en machteloos moest toekijken hoe vreemde krachten bezit van hem namen.

Wat hij had gezien maakte hem in de war. Hij wilde verder kijken, maar toch ook weer niet. Het was beangstigend en intrigerend tegelijk. Twee jongens. Naar zoiets keek je niet. Maar waarom voelde het dan zo lekker?

'Mees, wil je gamen?' Het hoofd van Thomas verscheen in de deuropening.

Mees draaide zich geschrokken om. 'Kun je niet kloppen voordat je mijn kamer in komt?' Het kwam er bozer uit dan hij wilde. Vanuit zijn ooghoeken zag hij de tekst van het forum staan. De website die hij had bekeken.

76

Geen plaatjes, alleen maar tekst. Gelukkig! Van die afstand kon Thomas niet zien wat er stond. Mees kreeg zijn ademhaling onder controle en glimlachte. 'Je liet me schrikken, zeg.'

'Wat ben je aan het doen?' Thomas kwam zijn kamer in.

Mees duwde zijn bureaustoel opzij, zodat hij met zijn lichaam het zicht op zijn scherm belemmerde. 'O, huiswerk.'

Thomas probeerde om hem heen naar het scherm te gluren.

'Ik hoorde iets,' zei Thomas en een vals lachje verscheen om zijn mond.

'Zou kunnen.'

'Gehijg en muziek.' Thomas grijnsde. 'Was je seks aan het kijken?'

'Doe niet zo achterlijk,' riep Mees.

'Ik hoorde het toch.'

'Dan heb je het verkeerd gehoord. Ik ben bezig met een werkstuk voor biologie.' Mees wist dat het knullig klonk, maar hij kon zo snel niets anders bedenken.

'Ja, ja, over blote wijven zeker.' Thomas kwam dichterbij. 'Mag ik meekijken?' Hij stapte opzij. Mees bewoog mee. 'Nee!'

'Waarom niet? Ik ben geen klein kind meer.'

'Daarom niet.' Mees stond op en pakte zijn broertje bij zijn arm. 'En nu wegwezen.'

Thomas begon overdreven te schreeuwen. 'Au, au! Mamaaaaa! Mees doet me pijn. Mamaaaaa.'

Mees sleurde hem mee en duwde hem de gang op. 'Kleuter!' Met een knal viel de deur dicht. Er klonken voetstappen en het gejank van Thomas ebde weg. Hopelijk trapte zijn moeder er niet in.

Mees liep terug naar zijn bureau en klikte alle openstaande websites uit. Vanavond. Vanavond zou hij verder kijken. Vanavond, als iedereen lag te slapen, kon hij ongestoord op zoek gaan naar... Hij klemde zijn kaken op elkaar. Naar wat eigenlijk?

Mees liet zich op zijn bed vallen en staarde naar het plafond. Moest hij wel verder zoeken? Wilde hij die onbekende wereld in? Kon hij niet beter stoppen en zich richten op belangrijkere zaken? School bijvoorbeeld.

Hij kon Suze helpen om haar cijfers op te halen. Elke dag met haar oefenen. Of misschien vaker trainen. In plaats van twee avonden vijf avonden naar het sportveld. Zijn conditie zou vooruitschieten. Maar hij kon er natuurlijk ook een sport bij nemen. Tennissen had hem altijd al een coole sport geleken. Er was een club in de buurt. Hij kon eens langsgaan? Een baantje... ja, dat was het. Van wat hij van klasgenoten begreep, slokte dat behoorlijk veel tijd op.

Mees zuchtte en zijn blik viel op de poster van een bijna naakte Miley Cyrus die boven zijn bed hing. Ze danste en achter haar was een jongen te zien die met haar meebewoog. Plots besefte hij maar al te goed dat niet Miley de reden was dat hij die poster had opgehangen, maar de jongen. Zijn lichaam was adembenemend mooi. Hoe vaak had hij daar niet naar gekeken? De poster hing precies zo dat hij er vanuit zijn bed zicht op had.

Het drong langzaam tot hem door dat hij dit niet langer kon ontkennen. Hij moest uitzoeken wie hij was. Wat hij was. Pas dan kon hij verder.

Hoofdstuk 7

Ongerust

'Mees?' Kirstens stem klonk gejaagd. 'Ik sta voor je deur. Ben je thuis?'

Mees drukte zijn mobiel dichter tegen zijn oor. De wind maakte dat hij Kirsten slecht kon verstaan. Het was negen uur 's avonds en hij fietste halverwege het voetbalveld en zijn huis. 'Bijna, ik kom van trainen.'

'O ja.' Het bleef even stil aan de andere kant van de lijn.

'Kirsten?' De lijn kraakte.

'Ja?'

'Wat is er aan de hand?'

Er klonk een snik, gevolgd door iets onverstaanbaars.

'Ik versta je niet,' riep Mees terwijl hij tussen twee auto's door laveerde. 'Wat zeg je?'

Weer kwamen de woorden niet goed door. 'Ik versta je niet. Zie je zo, goed?'

Na nog wat gekraak verbrak hij de verbinding. Met een vaart fietste hij de Zuidlaan in en even later zette hij zijn fiets in de schuur. Een tengere gestalte kwam hem tegemoet op het tuinpad en omarmde hem.

'Hé.' Mees duwde haar tegen zich aan en voelde zijn hals nat worden. 'Rustig maar.'

Kirsten schokte. 'Mijn ouders.' Haar stem smoorde in zijn trainingsjas.

'Wat? Hebben ze weer ruzie?' Mees streelde haar haren.

Kirsten hief haar hoofd. Haar betraande gezicht was lijkbleek. Ze schudde haar hoofd. 'Nee, geen ruzie,' snikte ze. 'Ze gaan scheiden.'

Mees wist even niet wat hij moest zeggen.

'Ze hebben het net verteld,' ging Kirsten verder. 'Mijn zus ging door het lint. Ze smeet van alles door de kamer en is toen het huis uit gelopen. Ik weet niet waar ze is. Toen ging mijn vader schreeuwen tegen mijn moeder. Hij zei...' Ze haalde adem. 'Hij zei dat het allemaal haar schuld was. En toen begon mijn moeder terug te schreeuwen. Mijn broertje was helemaal in paniek.' Kirsten perste haar lippen op elkaar en knipperde met haar ogen. 'Het was echt zo erg.'

'Waar is Rowan nu?' vroeg Mees. 'Nog thuis?'

Kirsten schudde haar hoofd. 'Nee, bij mijn oma. Ik heb hem gebracht.' Ze veegde haar wang droog met de mouw van haar trui. 'Mijn oma stelde allemaal vragen, maar dat wilde ik niet en toen ben ik weer weggegaan.' Ze haalde diep adem. 'Ik wist niet waar ik heen moest en kon alleen maar jou bedenken.' Haar ogen stonden vragend. 'Sorry.'

'Geeft niet.' Mees schudde zijn hoofd. 'Altijd goed. Dat weet je toch? Kom, we gaan naar binnen.' Hij opende de voordeur en liet Kirsten voorgaan. 'Ga maar vast naar mijn kamer, ik zeg even dat ik thuis ben.'

Terwijl Kirsten de trap op liep, stapte Mees de huiskamer in. Zijn ouders zaten met Thomas televisie te kijken. Zo te zien een of andere politieserie. 'Ik ben thuis.' Hij liep door naar de koelkast. 'Kirsten is er, we zitten even boven, goed?'

Zijn moeder keek op. 'Kirsten?' Haar vragende blik vroeg om uitleg.

'Haar ouders gaan scheiden,' zei Mees. 'Ze is nogal overstuur.'

Zijn vader draaide zich om. 'En dan komt ze naar jou? Ze heeft het net uitgemaakt met je.'

'Ja, nou en? Daarom zijn we nog wel vrienden.' Mees kon de opmerking van zijn vader niet waarderen. Met twee glazen cola in zijn handen, liep hij de kamer uit.

'Deur dicht!' bromde zijn vader.

Mees trapte met zijn voet de deur achter zich dicht. Kon die man zich niet voor één keer inleven in de situatie?

Kirsten zat op zijn bed en staarde voor zich uit. 'Ik wist dat het ging gebeuren,' fluisterde ze. 'Maar toch kwam het onverwacht.'

Mees gaf haar het glas en kwam naast haar zitten. 'Ik weet niet zo goed wat ik moet zeggen,' zei hij.

'Je hoeft niets te zeggen.' Kirsten nam een slok en zette het glas op de kleine tafel naast het bed. Zwijgend zaten ze naast elkaar.

'Weet je...' Kirsten was de eerste die de stilte verbrak. 'Misschien is het ook maar beter zo. Ze maakten alleen maar ruzie.' Ze liet zich achterover op bed vallen. 'Maar ik vind het zo zielig voor mijn broertje. Die is nog zo klein.'

'Het is ook erg voor jou,' zei Mees. 'En je zus.'

'Ja, tuurlijk. Het is erg voor iedereen, ook voor mijn ouders. Maar Rowan heeft ze allebei nog zo nodig. Hij is pas zes.'

Mees leunde achterover. Hij zag dat er tranen over haar wangen liepen. 'Je ouders gaan dit vast goed regelen.'

'Denk je?' Kirsten schraapte haar keel. 'Ik weet het niet. Als je zo lang ruzie met elkaar maakt en elkaar voor alles en nog wat uitscheldt, dan denk ik niet dat je rustig om de tafel gaat zitten om te praten.'

'Ze zullen wel moeten.'

Kirsten lachte schamper. 'Dan ken jij mijn ouders niet.'

'Ik ken ze wel,' zei Mees. 'En ik weet zeker dat ze heel veel van jullie houden. Alleen daarom al moeten ze eruit komen.'

'Ach, houd toch op met je clichépraatjes.' Kirsten kwam half overeind. Ze leunde op haar arm. 'Aan jou heb ik ook niets!'

Mees kende Kirsten goed genoeg om te weten dat ze dit niet meende. Ze was een ster in zwelgen en hij besloot de neerwaartse spiraal te doorbreken. 'O, je wilt geen opbeurende woorden?' Hij duwde haar naar achteren. 'Je wilt medelijden. Lekker zwelgen in je ellende. Wil je dat? Nou?' Hij prikte haar in haar zij. 'Want als dat is wat je wilt, kun je het krijgen, hoor.'

Kirsten trok haar benen op. 'Je kietelt, houd op.'

Mees ging door. 'Mooi, dat is precies wat jij nodig hebt.' Zijn vingers kriebelden over haar buik, in haar zij en in haar nek.

'Stop... daar kan ik niet tegen.' Ze lachte en draaide zich half om.

Mees dook op het bed en gebruikte nu beide handen om Kirsten te kietelen. 'Zie je wel dat je kunt lachen.'

Kirsten duwde hem weg, maar Mees kwam boven op haar benen zitten. 'Zie nou maar eens weg te komen.'

Kirsten gilde het uit. 'Hahahaha, houd op!'

De deur van de kamer ging open en Mees zag het gezicht van zijn moeder verschijnen. 'Hoi mam!'

Kirsten vloog overeind en duwde Mees van zich af. 'Eh... dag mevrouw.'

'Alles goed hier?'

Mees knikte. 'Laat ons maar even, mam.'

'Jullie kunnen in elk geval nog lachen.' Zijn moeder glimlachte en sloot de deur.

'Lekkere timing,' mompelde Mees.

'Had je het gezegd?' vroeg Kirsten.

'Wat?'

'Dat... dat mijn ouders gaan scheiden. Dat ik daarom hier ben. Ze weet dat het uit is tussen ons, toch?'

'Ja.' Mees schoof naar het randje van zijn bed.

'Dan is het ook raar dat we hier keihard aan het lachen zijn.' Kirsten trok haar shirt recht en kwam naast hem zitten. 'Maar het lucht wel op.' Ze zuchtte en glimlachte. 'Jij kent mij te goed.'

Mees zei niets. Kirsten had gelijk. Hij kende haar te goed. En zij hem. Hij voelde een hand op zijn schouder. 'Dank je,' fluisterde Kirsten.

'Waarvoor?'

'Dat je er bent.' Ze kneep.

Heel even bleef het stil. 'En nu?' vroeg Mees toen ze haar hand liet zakken.

'Blijf je slapen?'

Kirsten keek op. 'Zou je dat niet erg vinden dan?'

'Hoezo? Je sliep hier toch vorig weekend ook?'

'Ja, maar dat was met Job en Suze erbij.'

'Nou en?' Mees wist waar Kirsten op doelde, maar had geen zin om daarop te reageren. Het was zoals het was. 'Je slaapzak ligt daar.' Mees wees naar de kast in de hoek van de kamer.

'Ik denk dat ik...' Kirsten aarzelde.

'Je maakt je zorgen over je zus?'

Ze knikte.

'Bel haar.'

'Heb ik al gedaan daarnet. Ze neemt niet op.'

'Probeer het nog een keer.'

Kirsten pakte haar telefoon en belde. Haar ogen staarden verwachtingsvol naar Mees. 'Jessica?'

Mees schoof dichter naar Kirsten en probeerde mee te luisteren.

'Jes, waar ben je?' Kirstens stem klonk gejaagd.

'In de stad.'

'Waar precies?'

'Maakt dat wat uit?'

'Ja natuurlijk maakt dat wat uit.' Kirsten klonk geïrriteerd. Mees legde een hand op haar knie. Ze haalde diep adem en ging op rustigere toon verder. 'Ik maak me ongerust.'

'Hoeft niet. Ik red me wel.'

'Kom je zo naar huis?'

Er klonk een schampere lach. 'Ik dacht het niet. Jij? Ben jij nu thuis?'

'Nee.' Kirsten keek naar Mees. 'Ik ben bij Mees.'

'Bij Mees? Maar... je had het uitgemaakt. Is dat wel zo slim?'

'Hij begrijpt het.' Kirsten legde haar hand op die van Mees. 'En ik mag hier blijven slapen.'

Een scherpe fluittoon klonk op de achtergrond. 'Ja, dat zou ik ook zeggen als ik hem was.'

'Jes, doe niet zo flauw. Mees is de enige die mij op dit moment begrijpt. Hij weet alles en...' Ze wachtte even. 'Hij is er gewoon voor me.'

Het bleef stil aan de andere kant van de lijn.

'Jes? Ben je er nog?'

'Ja.'

'Als je wilt...' Kirsten keek naar Mees, die meteen knikte. 'Als je wilt, mag je ook hier slapen.'

'Dat is lief, maar nee.'

'Je kunt niet de hele nacht in de stad blijven.'

'Ik zoek wel wat.'

'Jessica, ga anders naar oma. Rowan is daar ook en...'

'Nee! Ik wil even geen gezeik aan mijn kop.'

Kirsten zuchtte. 'Bel me als er iets is, oké? Zelfs al is het midden in de nacht. Beloof het.'

'Ik beloof het. Ga jij nu maar lekker slapen. Ik ben blij dat Mees bij je is. Ik ga hangen. Doei.'

'Doei.' Kirstens stem sloeg over. Ze liet haar arm zakken en drukte het scherm uit.

'Ze is oké,' zei Mees. 'Goed om te weten.' Hij stond op. 'Dus... blijf je slapen?'

Kirsten knikte. 'Graag.'

'Moet ik je ouders even bellen dat je hier bent? Ik bedoel, je oma heeft vast verteld dat Rowan bij haar is, maar dat jij bent weggegaan.'

'Laat ze lekker in hun sop gaarkoken.'

'Kirs, ik weet zeker dat ze ongerust zijn.'

'Pech dan. Dringt het misschien tot ze door dat wij er ook nog zijn.'

'Ik kan toch even...'

'Nee!' Kirsten schreeuwde het uit. 'Ze bekijken het maar! Ze hebben er een puinhoop van gemaakt. Zelfs vertellen dat ze gaan scheiden moest met ruzie. Ik ben er zo klaar mee. Ik hoef ze nooit meer te zien!'

Mees pakte de glazen op. 'Oké, oké, het is duidelijk.' Hij opende de deur. 'Ik haal nog wat te drinken.'

Kirsten had zich omgedraaid en staarde naar buiten. 'Geen cola, doe maar water.'

'Geen cola,' mompelde Mees en hij liep de trap af. Het

zat hem toch niet helemaal lekker. Hij wist zeker dat Kirstens ouders ongerust waren. En haar oma ook. Zelfs Rowan moest weten dat het goed ging met zijn grote zussen.

'Hoe is het met Kirsten?' Zijn moeder keek op toen hij de kamer in kwam.

Mees knikte. 'Gaat wel.' Hij zette de glazen op het aanrecht en pakte zijn mobiel. 'Ik bel even haar ouders dat ze blijft slapen.'

Zijn vader draaide zich om. 'Is het nou uit of aan?'

'Wat doet dat er nou toe?' bromde Mees. Hij hield de telefoon tegen zijn oor en draaide zich om.

'Terwolde.'

Mees herkende de stem van Kirstens vader.

'Ja, hallo meneer Terwolde? Met Mees.' Hij wachtte even. 'Eh... Kirsten heeft me verteld wat er gebeurd is. Ik vind het heel erg rot voor u.'

Er kwam geen reactie.

'Ik moest even doorgeven dat Kirsten vannacht hier blijft slapen. Dan weet u dat.'

'Dank je, dat was het?'

'Eh... ja.' Op de achtergrond hoorde Mees de stem van Kirstens moeder. Een paar woorden kon hij verstaan. '... spreken... hierheen... Jessica...'

'Jessica is ook oké. Ze is...' Hij bedacht dat hij geen flauw idee had waar ze precies was en met wie.

'Mooi! Dank je wel, jongen. Fijn dat je ons even belde. Dag.'

'Dag.' Wat verbaasd keek Mees naar zijn scherm. De verbinding was verbroken.

'Was het in orde?' Mees' moeder pakte twee mokken uit de kast.

'Ja, ik geloof het wel.'

'Zal ik warme chocolademelk maken voor jullie? Dat vindt Kirsten vast lekker nu.'

Mees knikte. 'Is goed, mam. Dank je.' Hij ging op het randje van de bank zitten. Op de televisie was een wilde achtervolging bezig die overging in reclame. 'Waar kijken jullie naar?'

'*Criminal Intent*,' zei Thomas. 'Die vent in die voorste auto is een seriemoordenaar die al zeven vrouwen in stukken heeft gehakt en opgegeten.'

Mees gruwde. 'En dat vind je leuk om naar te kijken?'

'Ja, gaaf toch? Hoe enger, hoe beter. Straks komt er een horrorfilm.'

'Die jij niet gaat kijken,' riep zijn moeder vanuit de keuken. 'Als dit is afgelopen, ga je naar bed.'

'Ah mam!' Thomas keek naar zijn vader. 'Mag het, pap?'

'Je hoort wat je moeder zegt.'

Met een boos gezicht sloeg Thomas zijn armen over elkaar heen. 'Ik mag ook nooit wat.'

Zijn vader sloeg een arm om Thomas heen en lachte. 'Ik neem hem wel op. Kijken we van de week samen, goed?'

'Menno!' Mees' moeder kwam de kamer in met twee bekers warme chocolademelk en wierp haar man een boze blik toe. 'Geen horror. Daar is-ie nog veel te jong voor.'

'Oeps, foutje!' Mees' vader trok Thomas naar zich toe. 'Later als je groot bent, kijken we alle horrorfilms die je maar wilt.'

Thomas hoorde het niet meer. Hij keek toe hoe de auto over de kop sloeg en in een ravijn belandde. 'Wow, moet je die vent zien. Helemaal onder het bloed.'

Mees gruwde. 'Brrrr, moet dat?'

'Dat snap jij toch niet,' riep Thomas.

'Nee, inderdaad.' Mees pakte de bekers aan van zijn moeder. 'Maar ik wil het ook niet snappen. Geef mij maar een feelgoodmovie.' Hij draaide zich om en hoorde gegrinnik op de bank.

'Of het Songfestival,' bromde Thomas. 'Of...' Een flinke por van zijn vader deed hem zwijgen. Met een onrustig gevoel liep Mees naar boven. Waar sloeg dat nou op?

Hoofdstuk 8
Eruit!

'Mees?'

'Ja.'

'Kun jij slapen?' Kirstens stem klonk zacht.

'Nee.' Mees knipte het nachtlampje aan.

'Ik ook niet.' Kirsten zat rechtop in haar slaapzak.

'Hoe moet het nou verder?'

Mees draaide zich op zijn zij.

'Misschien moeten we wel verhuizen.' Ze trok haar benen op en sloeg haar armen om haar knieën. 'Wat nou als papa ergens anders gaat wonen, ergens heel ver weg?'

'Dat weet je niet,' zei Mees. 'Loop nou niet op de dingen vooruit.'

'Maar...' Kirsten schudde haar hoofd. 'Toen de ouders van Myra gingen scheiden, moesten ze verhuizen en ging ze naar een andere school.' Ze keek Mees aan. 'Ik wil hier blijven.'

'Ja, dat begrijp ik.' Mees wist het ook niet. Wat kon hij zeggen?

'Mag ik bij jou in bed?' Kirsten vroeg het smekend.

Heel even keken ze elkaar aan.

'Ik wil niet...' begon Kirsten. 'Ik bedoel, ik wil alleen...' Ze snikte.

'Het is goed. Kom maar.'

Kirsten kroop uit haar slaapzak. Mees schoof iets op, sloeg zijn dekbed open en liet Kirsten instappen. De warmte van haar lichaam vulde zijn bed.

'Je bent lief.' Kirsten nestelde zich tegen hem aan.

Mees had zijn arm om haar heen geslagen. De gladde stof van haar nachthemd voelde zacht aan.

'Dit is wel gek,' fluisterde Kirsten.

Mees staarde naar het plafond. Hij wist wat ze bedoelde.

'Maar het voelt zo vertrouwd.'

Mees knipte het lampje uit. 'Probeer maar te slapen.'

Kirsten duwde haar hoofd in zijn hals en legde haar arm over zijn buik. 'Ja.'

Zwijgend lagen ze naast elkaar. Mees durfde zich niet te bewegen. Allerlei gedachten tolden door zijn hoofd. Was dit wat hij een paar weken geleden nog zo graag wilde? Kirsten bij hem in bed, haar armen om hem heen, haar warme lichaam tegen hem aan. Het moest toch iets teweegbrengen?

Maar hij voelde niets. Niets bijzonders in ieder geval. Dat zou toch moeten? Jongen, meisje... zo hoorde het. Hij herinnerde zich de dromen die hij had over zijn toekomst. Samen met Kirsten. Ze zouden trouwen, drie kinderen krijgen en in een huis met een tuin gaan wonen. Het ultieme geluk. Dat was wat hij wilde. En dat was nog niet zo lang geleden. Nu was alles anders. Die droom was zijn houvast geweest. Het maakte dat hij niet hoefde na te denken over dat andere, knagende en allesoverheersende gevoel dat zich opdrong.

Kirstens ademhaling werd zwaarder. Ze bewoog haar arm en hij voelde haar hand op zijn kruis. Ze kreunde zacht en draaide haar hoofd. Geschrokken hield hij zijn adem in. Ze sliep. Ze wist het niet. Mees durfde niet te bewegen. Terwijl hij in het donker staarde, drong het tot hem door dat Kirstens hand op die plek hem niets deed. Dit was weird. Hoeveel jongens zouden dit gewild hebben? Voorzichtig schoof hij iets naar onderen zodat haar hand op zijn buik kwam te liggen. Dat was beter.

Kirsten draaide op haar zij en duwde haar billen tegen hem aan. 'Hmm, wat is er?'

'Niets.' Hij streelde haar rug. 'Slaap maar lekker verder.'

'Ik kan niet slapen.' Kirsten draaide zich weer op haar rug. 'Jij?' Ze boog over hem heen en knipte het nachtlampje aan.

'Je sliep anders net als een roosje.'

'O ja? Hoe weet jij dat nou?'

Mees glimlachte. 'Geloof mij, dat weet ik zeker.'

'Vertel.'

'Ik denk er niet aan.'

'Doe niet zo geheimzinnig. Zeg op. Deed ik iets geks?'

Ze schrok. 'Liet ik een scheet?'

'Nee.' Mees lachte.

'Praatte ik in mijn slaap?'

'Nee, ook niet.'

'Wat dan?'

'Zeg ik niet.'

'Aaah, dus ik deed wel wat. Toe. Ik moet het weten.' Ze trok een zielig gezicht. 'Moet ik me schamen?'

'Nee hoor.' Mees grijnsde. 'Helemaal niet. Het was heel natuurlijk.'

Kirsten porde in zijn zij. 'Vertel of je krijgt de kieteldood.'

'Dat doe je toch niet.'

'O nee?' Kirsten stopte haar hand onder het dekbed en begon hem te kietelen. Mees probeerde haar van zich af te duwen. Lachend rolden ze over elkaar heen.

'Jij klein krengetje,' mompelde Mees. 'Stoppen nu.'

'Pas als jij vertelt wat ik deed.'

'Dat wil je niet weten.'

'Echt wel.' Kirsten zat nu boven op hem en hield zijn polsen vast boven zijn hoofd.

Mees staarde naar de bollingen in haar nachthemd.

'Vuile vieze gluurder.' Kirsten liet hem los en kruiste haar armen voor haar borst. 'Je keek naar mijn borsten.'

Mees lachte. 'Zoveel is er niet te zien, hoor.'

'Zoiets zeg je niet tegen een dame!'

'Tegen een dame niet, nee.'

'Grrrr.' Kirsten gromde, maar haar ogen lachten. 'Ik vind het niet normaal.'

'O? Maar je hand op iemands piemel leggen is wel normaal?'

Kirstens gezicht betrok. 'Nee!' Haar mond viel open. 'Bedoel je...' Ze stokte en staarde naar Mees. 'Heb ik jouw... nee toch?'

Mees knikte. 'Je sliep.'

'Des te erger.' Kirsten liet zich naast hem op bed vallen. 'Ik schaam me dood.'

'Hoeft niet. Er is niets gebeurd.'

'Nee, dat moest er nog bij komen.' Ze keek Mees aan. 'Het spijt me. Sorry. Echt, het was niet mijn bedoeling.'

'Het geeft niet. Ik vond het niet erg.'

'Nee, dat snap ik.' Kirsten schoot in de lach. 'Welke Hollandse jongen vindt dat nou wel erg?'

Mees wendde zijn hoofd af.

'Heb ik iets verkeerds gezegd?'

Mees knipte het licht uit. 'We gaan slapen.'

Het licht floepte weer aan. 'Nee, eerst vertel jij mij wat er is.' Ze kroop over hem heen zodat ze hem recht kon aankijken. 'Gaat het over ons?'

Mees sloeg zijn ogen neer.

'Vind je dit ongemakkelijk?' vroeg Kirsten. 'Kom op, Mees. We zijn vrienden. Je kunt me alles vertellen. Zal ik weer in mijn slaapzak gaan liggen?'

'Nee, nee, juist niet.'

Ze wachtte even. 'Wil je met me naar bed? Is dat het? Heb ik je op een idee gebracht met mijn stomme actie?'

Mees kon zich niet langer inhouden. 'Nee! Ik wil helemaal niet met je naar bed. Ik ben juist blij dat het gebeurd is.'

Kirsten fronste haar wenkbrauwen. 'Waar heb je het over?'

Mees draaide zijn hoofd opzij. Hij had al te veel gezegd. Maar als er iemand was die hem zou kunnen begrijpen, dan was het Kirsten. Misschien had hij onbewust wel aangestuurd op dit moment. Maar ze zat zelf al zo diep in de shit. Kon ze dit er wel bij hebben? Aan de andere kant zou ze misschien opgelucht zijn. Het zou alles verklaren wat er gebeurd was. Ze was zo bezorgd om hem sinds ze het had uitgemaakt.

'Mees?' Kirsten streek met haar vinger over zijn wang. 'Huil je?'

Hij duwde zijn gezicht in haar nachthemd. Hij kon het niet tegenhouden. Zijn tranen kregen niet eens de kans om te rollen. Ze zogen zich vast in de stof.

'Het spijt me zo,' zei Kirsten. 'Ik heb je pijn gedaan, hè, toen ik het uitmaakte? En nu lig ik naast je in bed en maak ik het je heel moeilijk.'

Mees hief zijn hoofd. 'Nee, nee, dat is het niet.'

Kirsten keek hem vragend aan. 'Wat dan? Ik snap er niets van.'

'Ik snap het zelf niet eens,' stamelde Mees.

'Leg het me dan uit.'

Mees liet haar los. 'Ik vind het niet erg dat je in mijn bed ligt. Dat is het hem juist.' Hij ging op de rand van zijn bed zitten. De cijfers van zijn wekker gaven 02.00 uur aan. De woorden lagen op zijn tong. Ze hoefden er alleen nog maar uit. 'Ik denk dat ik homo ben.'

Het was eruit. Voor het eerst had hij het hardop gezegd. Hij schrok van zijn eigen stem, maar het luchtte op. Zo, nu wist ze het.

Kirsten schoof naast hem.

'Maar ik weet het niet zeker.' Mees haalde zijn neus op.

'Hoelang?'

'Al een tijdje.'

Het bleef even stil. Kirsten sloeg haar ogen neer. 'Zeg iets,' fluisterde Mees. 'Ik...' Kirsten keek op. 'Je overvalt me.' Ze keek hem onderzoekend aan. 'Maar het verklaart alles.' Ze pakte zijn hand. 'Vind je het erg? Ik bedoel, als het zo is.' Mees keek op. 'Wat denk je zelf?' Het kwam er feller uit dan hij bedoelde. 'Sorry.'

Kirsten knikte. 'Geeft niet.'

Zwijgend zaten ze naast elkaar.

'Weet je,' zei Kirsten toen, 'ik heb het altijd gevoeld. Je bent zo...' Ze stokte.

'Zo wat?'

'Anders.'

'Anders?' Mees slikte. Dus toch.

'Ja. Zachter en liever dan andere jongens. Ik kan het niet precies uitleggen, maar bij jou heb ik me altijd veilig gevoeld, alsof ik wist dat...'

'Dat ik je niet zou bespringen?'

'Zoiets, ja.' Kirsten legde een arm om zijn schouder. 'Luister, ik zie het probleem niet. We kunnen beste vrienden blijven, samen shoppen.' Ze grijnsde. 'Samen naar jongens kijken.'

Mees duwde haar van zich af. 'Je gaat er al van uit dat het zo is.' Hij hijgde. 'Ik zeg toch dat ik het niet zeker weet.'

'Heb je het al een keer geprobeerd?'

'Wat?' Terwijl hij het vroeg, wist hij wat Kirsten bedoelde. 'Nee, maar dat is het 'm nou juist,' zei hij. 'Ik heb het toch ook nog nooit met een meisje gedaan? Jij zou de eerste zijn.'

Kirstens gezicht betrok. 'Dus ik was een soort proefkonijn?'

'Nee, nee, natuurlijk niet. Ik wilde het echt. Met jou. Echt. Bij jou voel ik me veilig. Net als jij bij mij. Zoiets.' Hij boog zijn hoofd. 'Maar dat is dus niet genoeg.'

'Er zit maar één ding op, Mees,' zei Kirsten. 'Je moet het met allebei een keer doen.'

'O ja!' Mees schoot uit zijn slof. 'Lekker makkelijk bedacht. Hoef jij je tenminste niet meer schuldig te voelen dat je het uitmaakte, toch?'

'Dat is niet eerlijk.'

'Nee, misschien niet. Maar weet je wel hoe ik me voel?' Hij stompte met zijn vuist in zijn kussen. 'Klote! Kaa-El-Oo-Tee-Ee.'

Kirsten pakte zijn arm vast. 'Komt dit allemaal door mij?'

'Min of meer.' Mees ontspande.

'Doordat ik het uitmaakte?'

'Nee, toen je mij uitlegde hoe het voelde om verliefd te zijn.'

Er viel een stilte.

'Ik wil het niet, begrijp je dat?' Mees fluisterde. 'Ik wil dit niet voelen.' Hij sloeg met zijn vuist in het dekbed. 'Ik heb het ontkend, weggestopt, maar het gaat niet weg. Wat ik ook doe. Het is net een sloopkogel die maar blijft bonken. Dag en nacht, zonder te stoppen.'

'Mees, ik...'

'Ik wilde trouwen, kinderen krijgen, een leuke baan, een huis met een tuin, samen oud worden.' Hij wachtte even. 'Dat was mijn droom.'

'Maar dat kan toch nog steeds allemaal? Niet met mij, maar met iemand anders. En mij krijg je er zomaar bij. Wij blijven vrienden voor het leven.'

'Misschien.'

'Moet jij eens opletten. We gaan ontzettend veel lachen. Jij en ik. En je gaat razend verliefd worden op de leukste jongen van de hele wereld, wedden?'

Mees zweeg.

'Of ben je al verliefd op iemand?' De nieuwsgierigheid klonk door in haar stem. 'Je hoeft het niet te vertellen, hoor.' Ze zuchtte. 'Maar ik gun het je zo. Verliefd zijn is zo lekker. Zo totaal krankzinnig heerlijk.'

'Zo voelt het anders niet,' bromde Mees.

Kirsten sloeg haar armen om hem heen. 'Echt? Wat geweldig. Ik bedoel, dat je verliefd bent. Niet dat... nou ja, je begrijpt me wel, toch?'

Mees glimlachte. Kirsten kon af en toe zo doordraaien.

'Oké, het doet pijn,' ging Kirsten verder en haar gezicht betrok. 'Het doet pijn als je weet dat diegene on-

99

bereikbaar is.' Ze haalde haar hand door haar haar. 'Maar hé, who cares? Gewoon verliefd zijn is al top.' Ze keek Mees onderzoekend aan. 'Wie is het? Ken ik hem?' Mees schudde zijn hoofd. 'Maakt niet uit. Het kan niet.'

'Hmm, wat zijn we toch een stelletje zielenpieten.' Kirsten grijnsde. 'Allebei verliefd en ongelukkig.'

'Je ziet het aan je ouders,' zei Mees. 'Verliefd zijn is niet genoeg. Houden van op den duur ook niet.'

Kirstens gezicht betrok. 'Vriendschap wel.' Ze klonk stellig. 'Beloof me dat we altijd vrienden blijven.' De blik in haar ogen was dwingend.

'Beloofd.'

'Voor eeuwig en altijd?'

'Voor eeuwig en altijd,' zei Mees. 'Beloof jij mij dan dat dit tussen ons blijft?'

Kirsten knikte. 'Tuurlijk.' Ze gaf hem een kus op zijn wang. 'Beloofd.'

Mees trok haar naar zich toe. 'En nu gaan we slapen, anders zijn we morgen niet te genieten.'

Even later lagen ze dicht tegen elkaar aan in bed.

'Mees?'

'Ja?'

'Ik ben blij dat je het verteld hebt.'

'Ik ook.'

'Welterusten.'

'Ja, slaap lekker.'

Hoofdstuk 9

Egoïsten!

'Je hebt me gehoord, eikel. Laat me met rust!' Boos verbrak Suze de verbinding. 'Zo, einde Kasper.' Ze stopte haar mobiel in haar tas en keek op. 'Gedeletet!'

Kirsten reikte haar haar bakje patat aan. 'Goed zo! Dumpen die handel.'

Het was vrijdagmiddag en ze zaten met zijn vieren in de snackbar. Mees, Suze, Kirsten en Job. Mees had zin in het weekend. De afgelopen dagen waren relaxed verlopen. Zowel thuis als op school. Geen toetsen of overhoringen, geen gezeik van klasgenoten, Thomas die op werkweek was. Gewoon chill.

Hij voelde zich lichter. Op de een of andere manier had het gesprek met Kirsten hem opgelucht. Alsof hij de ruimte had gekregen om dit uit te zoeken. Zijn gevoelens voor Job waren verwarrend. Verliefd zijn voelde heerlijk, maar het niet kunnen zeggen frustreerde. Daarbij werd zijn twijfel groter en groter. Dat hij verliefd was op zijn beste vriend bewees nog niet dat hij homo was. Op internet stonden verhalen genoeg over meiden die het met vriendinnen deden en toch gewoon hetero waren. En hoeveel jongens rommelden niet met hun vrienden, voordat ze trouwden?

'Pubers moeten juist experimenteren,' had een professor geschreven. 'Zo ontdekken ze wat ze werkelijk voelen. Verliefd worden op een jongen, een meisje. Het hoort allemaal bij het opgroeien.'

'Wist je dat Kasper er drie andere meiden op na houdt?' Suze pakte een patatje, doopte dat in de mayonaise. 'Loser!' Ze leunde achterover en liet het patatje in haar mond glijden. 'Ik ben helemaal klaar met die flapdrol.'

'Ik ben trots op je,' zei Kirsten. 'Die Kasper is zo fout.'

'Maar wel lekker fout.' Suze zuchtte. 'Waarom zijn knappe jongens altijd fout?'

'Correctie,' reageerde Kirsten, die haar bakje neerzette op de smalle bar. 'Knappe jongens die weten dat ze knap zijn, zijn fout.'

'Whatever. Het is wel zo,' bromde Suze.

Kirsten grijnsde. 'Je valt op de verkeerde types, Suusje. Gooi het eens om. Wat dacht je van dat lekkere ding daar?' Ze wees naar een jongen die bij de automatiek stond. Zijn lange sluikharen hingen over een gescheurde houtje-touwtjejas. 'Echt iets voor jou.'

Mees glimlachte toen Kirsten en Suze de slappe lach kregen. Hij was blij dat het met Kirsten goed ging. Naar omstandigheden, dat wel. Haar vader was het huis uit gegaan. Dat was niet leuk, maar het gaf wel rust. Hij woonde voorlopig bij een vriend en had Kirsten op het hart gedrukt dat hij nog evenveel van haar hield. Hij belde haar elke dag. Mees kon merken dat ze dat fijn vond. Ook met Suze ging het beter. Ze was van de week, samen met haar moeder, aan de slag gegaan om hun huis op te ruimen. Het moest, zei ze. Mees wilde haar graag geloven, want de plukken stof zaten in haar haar als ze op school kwam. Suze vertelde elke dag uitgebreid over haar schoonmaakresultaten. Als alles klaar was, moesten ze zeker komen kijken.

Dat was maandag. Mees had geen flauw idee hoeveel tijd er nodig was om een huis op te ruimen en wat dat zei over de hoeveelheid troep, maar hij was blij dat Suze dit samen met haar moeder deed. Het schepte een band, zei ze en ze straalde. Suze was supervrolijk, gezellig en actief. Zelfs de leraren op school merkten het. Suze deed haar huiswerk!

Mees had sinds zijn openhartige gesprek met Kirsten niet meer over zijn gevoelens gepraat met haar. Ze was er ook niet meer op teruggekomen, zoals hij gevraagd had. Af en toe een blik, een knipoog. Dat was alles.

Hij had tijd nodig om dingen uit te zoeken. Alleen. De afgelopen dagen had hij elke avond op internet gestruind. Hij had verhalen gelezen, films bekeken, foto's gevonden, informatie opgezocht, gechat. Eén ding was hem wel duidelijk geworden. Iedereen had een ander verhaal. Iedereen was anders. Er waren jongens die zichzelf hetero noemden, maar wel af en toe seks hadden met een goede vriend. Er waren zelfs landen waar jongens het leerden op elkaar. Dat was daar heel gewoon. Voor je huwelijk oefende je met je vrienden. Mees kon zich er niets bij voorstellen, maar het was echt zo.

Sommige dingen waren hem te heftig. Die klikte hij weg. Hij vond het vreselijk om te zien hoe hard homo's konden zijn. Zo was hij niet! Zo wilde hij helemaal niet zijn. Maar hoe dan wel?

Hetero zijn was veilig. Zijn ouders waren zijn grote voorbeeld. Samen zijn, van elkaar houden, kinderen krijgen en het dan gezellig maken met elkaar. Opa en oma, precies zo. Die waren al meer dan zestig jaar samen. Waarom las hij niets over homo's die al jarenlang gelukkig waren met elkaar? Homo's konden toch trouwen? Kinderen krijgen, een gezin vormen. Paul de Leeuw, Peter van der Vorst. Zij hadden dat. Je hoorde er nooit iets over. Was internet soms niet voor geluk bedoeld? Was geluk te saai om te laten zien aan anderen?

Al die informatie overspoelde hem, maakte hem in de war, angstig zelfs. Hij zag en las dingen waarvan hij het bestaan niet eens wist. En hij was vast niet de enige. Hoe meer hij te weten kwam, hoe moeilijker hij het vond. Als dit de homowereld was, dan wilde hij daar niet bij horen. En waarom zou hij? Het hoefde toch niet! Hij kon nog kiezen. Gevoelens kwamen en gingen. Er iets mee doen was aan hem. En misschien had die professor wel gelijk. Verliefd worden op een jongen was een fase. Het ging vanzelf weer over. Dat hij verliefd was op zijn beste vriend, was heel begrijpelijk. Job was toch ook knap en leuk? Dus zo gek was het niet. Misschien was hij wel bi. Kon het allebei.

Het enige wat hij nodig had was een mooie meid. Eentje die zijn gevoelens voor Job liet verdwijnen als sneeuw voor de zon.

Gisteravond had hij kort gechat met een jongen van zesentwintig uit Breda. Ook hij had jaren geleden geworsteld met zijn gevoelens en was op zoek gegaan naar antwoorden. 'Die vind je niet op internet,' had hij geschreven. 'Alleen jij bepaalt wat je voelt en wat je daarmee doet. Luister naar jezelf. Zolang het goed voelt, is het ook goed. Neem de tijd en geniet van het moment.'

De woorden van deze jongen hadden indruk gemaakt op Mees. Hij had gelijk. Niemand kon bepalen wat goed of fout was, alleen hijzelf. En daar was tijd voor nodig. Hij was geen homo of hetero of bi. Hij was Mees! Geen depri gedoe meer!

Suze veegde haar hand af aan haar broek. 'Ik heb al zo veel jongens gehad. Zou er ergens op de wereld een onontdekte schoonheid lopen die ook nog eens heel aardig is?'

'Wat dacht je van *moi*!' Job stak zijn duimen onder zijn oksels.

'Jij?'

'Jazeker. Ik ben precies wat jij zoekt.' Hij grijnsde. 'Alleen ben ik niet op zoek naar jou.'

'Da's nou jammer. We hadden het zo leuk kunnen hebben samen.' Suze streelde zijn haar.

'Sorry.' Job haalde zijn schouders op. 'Jij en ik... dat wordt nooit wat. Twee van die knappe, lieve en slimme mensen bij elkaar geeft alleen maar gedoe.'

Suze boog voorover. 'Zeg, nu we het er toch over hebben. Waarom ben jij eigenlijk nog single? Als je zo knap, lief en slim bent als je zelf beweert, zou je de meiden van je af moeten slaan.'

'Ik doe niet anders.' Job gaf haar een knipoog. 'Dat je dat niet in de gaten hebt.'

'O jawel, maar waarom eigenlijk?'

'Vrijheid, blijheid,' antwoordde Job. 'Ik heb echt nog geen zin in gedoe.' Hij verfrommelde het servetje en propte het in zijn milkshakebeker. 'Meiden verwachten altijd van alles. Aandacht, cadeautjes, elke minuut bij elkaar zijn.' Hij gruwde. 'Yek, zo ego.' Terwijl hij de woorden uitsprak, keek hij naar Kirsten en Mees zag dat Kirsten kleurde.

Suze pakte haar kroket op. 'Wacht maar tot je een keer echt verliefd wordt.'

'Ikke niet,' zei Job.

'Zoiets houd je niet tegen, hoor,' ging Suze verder en ze nam een hap. 'Het gebeurt gewoon. Bam, boem, als een bliksem die inslaat. En ik kan het weten. Ik ben al zo vaak verliefd geweest.' Ze hief haar hoofd en staarde naar het plafond. 'Heerlijk gewoon.'

'Die kroket?'

Suze mepte met haar hand in Jobs richting. 'Kun jij nou nooit eens normaal reageren?'

'Jongens, wat gaan we doen?' Kirsten keek naar de telefoon in Jobs handen. 'Humor of actie?' Job had zo-even de site van de bioscoop opgezocht en een paar mogelijkheden opgenoemd.

'Humor,' riep Suze. 'Ik kan wel een goede lachsessie gebruiken.'

'Actie,' riep Job. 'Die met Vin Diesel.' Hij stopte zijn mobiel in zijn zak.

'Er was toch ook iets romantisch?' vroeg Kirsten en weer zag Mees dat ze kleurde. Haar steelse blikken naar Job maakten hem onrustig.

'Nee!' Job klonk stellig. 'Dat kleffe gedoe hoef ik niet te zien.'

Mees zag de teleurstelling in Kirstens ogen.

'Mee eens,' zei Suze. 'Een beetje respect voor mijn liefdesverdriet.' Ze trok een raar gezicht. 'En trouwens...' Suze keek naar Mees. 'Ik ben niet de enige met ludduvuddu.'

Job wierp haar een boze blik toe.

'Oeps, sorry.' Suze propte de rest van de kroket in haar mond.

'Ik ga even wisselen.' Mees liet zich van zijn kruk glijden en liep naar de wisselautomaat. Dachten ze nu nog steeds dat hij in de put zat over de breuk tussen hem en Kirsten? Hij glimlachte en gooide een euro in de machine. Wachtte op het kleingeld. Dit was alleen maar in zijn voordeel. Niemand vermoedde ook maar iets van wat hij werkelijk voelde. Alleen Kirsten wist van zijn twijfels, maar niet dat hij verliefd was op Job.

Op dat moment stapten er drie meiden de snackbar

binnen. Mees herkende ze van school. Ze zaten een klas hoger en vielen op door hun schoonheid. Alle drie op hun eigen manier. De langste van het drietal had blond haar, een prachtig gezicht en lange benen. Een echt fotomodel. De kleinste met het zwarte korte haar droeg stoere, uitdagende kleding en had een geweldig sportief lichaam. Het derde meisje, dat als laatste binnenkwam, had golvend lang bruin haar en zag er juist heel netjes en lief uit. Degelijk zelfs. Op het eerste gezicht pasten ze totaal niet bij elkaar, maar ze waren al jaren onafscheidelijk. Bijna alle jongens op school hoopten op een date met een van de drie. Het was bijna een prestigekwestie. Wie het lukte, was het mannetje. Ook Mees was in de brugklas heel even verliefd geweest op de blonde van het stel.

'Kijk nou wie daar binnenstappen,' riep Job.

Mees kon de bewondering in zijn stem horen. Hij duwde de klep opzij en griste het kleingeld uit de lade.

'Kwik, Kwek en Kwak,' mompelde Suze en haar blik was vernietigend.

'Zo dichtbij zijn ze nog mooier,' ging Job verder.

De meisjes laveerden tussen de tafeltjes door naar de toonbank. Mees bleef staan. Het blonde meisje stak haar hand op en glimlachte. 'Hoi.'

'Ik glijd van mijn kruk,' mompelde Job toen de drie meiden buiten gehoorsafstand waren. 'Ze zwaaide naar me.'

'Ze zwaaide naar ons allemaal, dombo,' zei Suze. Ze draaide zich om naar Mees, die nog steeds bij de wisselautomaat stond. 'Of naar Mees.'

Job duwde zijn hand tegen zijn borst. 'Ik geloof dat ik spontaan verliefd word. Hoor maar.' Zijn hand bewoog op en neer. 'Kadoeng, kadoeng, kadoeng.'

'Onbereikbaar, moppie,' zei Suze. 'Droom lekker verder.'

Job pakte zijn mobiel. 'Welke zwijmelfilm draaide er ook alweer vanavond, Suus?' Zijn blik richtte zich op het scherm.

'Job!' Suze klonk pissig. 'Je gaat toch niet doen wat ik denk dat je gaat doen?'

'Ik moet het proberen.'

Suze griste de telefoon uit zijn handen. 'Ik dacht het niet.'

Job keek grimmig. 'O nee?' Hij trok zijn shirt recht. 'Moet jij eens opletten.'

'Oké. Als jij zo nodig op je bek wilt gaan, dan moet je dat zelf maar weten. Toch, Kirs?'

Kirsten sloeg haar ogen neer en knikte. Weer zag Mees dat ze kleurde. Wat was er met Kirsten aan de hand?

'*This is my day*!' Job stond op.

Mees voelde zich ongemakkelijk. Was Job nu werkelijk van plan om een date te regelen met die blonde? Hij keek naar Job, die nonchalant, met één hand in zijn broekzak op het drietal afstapte en probeerde de jaloerse steken in zijn maag te negeren.

'Ik ben benieuwd welke openingszin hij dit keer van toepassing vindt,' zei Suze.

Job was ondertussen bij de toonbank en leunde tegen de bar. 'Zeg, zitten jullie niet bij ons op school?'

Suze schoot in de lach en draaide zich om. 'IJzersterk, Job. IJzersterk!'

Mees zag hoe de drie meisjes Job totaal negeerden. Ze kletsten onverstoorbaar verder met elkaar.

'Ik ben Job,' ging Job verder en hij stak zijn hand uit. 'Komen jullie hier wel vaker?'

Mees sloot zijn ogen. Hij hoorde hier niet bij. Wat een gênante vertoning, zeg! Was Job nu serieus of was dit weer een van zijn geniale grappen? Vanuit zijn ooghoeken hield hij Kirsten scherp in de gaten. Ook zij volgde de actie van Job met een argwanende blik.

De drie meiden pakten hun bestelling op en liepen, zonder Job een blik waardig te keuren, naar de tafel bij het raam, vlak bij de wisselautomaat. Vlak bij Mees.

'Hoi!' Het blonde meisje glimlachte vriendelijk naar hem.

'O... eh... dag.' Mees deed een stap opzij, maar was net te laat. De kleinste van het stel schoof een stoel opzij en ging zitten. Mees moest nu wel langs de tafel waar de drie meiden waren gaan zitten. 'Eh... sorry. Mag ik er nog even langs?'

De kleinste keek om. 'Tuurlijk.' Ze schoof opzij. 'Ga je gang.'

'Dank je.' Mees wurmde zich tussen haar stoel en de wisselautomaat door.

'Gaat het?'

'Ja hoor.'

'Sorry dat ik je insloot. Ben je hier alleen?' vroeg ze belangstellend.

'Eh...' Mees keek naar Job, die weer bij Suze en Kirsten stond en heftig met zijn hoofd schudde.

'Je mag anders wel bij ons komen zitten, hoor,' sprak het blonde meisje. Ze glimlachte weer naar hem. 'Wel zo gezellig.' Ze schoof een stoel opzij. 'Ga zitten. Had je al wat besteld?'

'Nee, ik...' Hij wees naar de wisselautomaat.

'Lekker blond, Natalja,' zei de kleine. Ze stond op en stak haar hand uit. 'Ik haal wel wat voor je. Zeg maar wat je wilt.'

Mees gaf haar het kleingeld en een euro. 'Een rundvleeskroket, graag.'

Het meisje liep naar de automatiek en wierp het benodigde bedrag in de gleuf.

'Zeg, zit jij niet bij ons op school?' vroeg Natalja.

Mees kon een lichte grijns niet onderdrukken. Gebruikte ze nu de openingszin van Job?

'Zou kunnen,' zei hij. 'Op welke school zitten jullie dan?' Mees genoot van haar verbaasde blik.

'Vondelcollege,' zei Natalja.

'Ja, ik ook.' Mees zag vanuit zijn ooghoeken dat zijn vrienden hem met open mond aanstaarden. Hij genoot van hun verbaasde blikken. 'Dat ik jullie nou nooit gezien heb daar.' Hij leunde achterover. 'Waar een snackbar al niet goed voor is.' Mees voelde zich compleet op zijn gemak bij de meiden. Het was alsof er een soort rust over hem neerdaalde. Ze waren aardig, belangstellend en helemaal niet bitchy, zoals Suze beweerde.

'Dit is Iris,' zei Natalja, terwijl ze naar haar vriendin wees. 'En ik ben Natalja.'

Mees glimlachte. 'Dat had ik begrepen, ja.' Hij stak zijn hand uit. 'Ik ben Mees.'

'Een rundvleeskroket.' Het kleinste meisje kwam naast hem zitten en overhandigde hem zijn kroket. 'Pas op, hij is heet.'

'En dit is Xenia,' zei Natalja.

'N-I-X,' mompelde Mees. 'Nix. De beginletters van jullie namen,' legde hij uit.

'Ja, goed gezien,' zei Xenia en ze lachte. 'Jij bent grappig.'

Mees nam een hap van zijn kroket en gluurde naar zijn vrienden. Job maakte steeds wildere gebaren. Hij wilde erbij komen, dat was duidelijk. Maar Mees piekerde er niet over. Job zou zich alleen maar weer gaan uitsloven en dat was nou precies wat deze meiden niet wilden. 'Mmm, lekker.'

Terwijl hij zijn kroket opat, praatte hij verder met de drie meiden. Over school, hun hobby's, eigenlijk over van alles en nog wat. Hij negeerde de steeds bozer wordende blikken aan de andere kant van de snackbar. Zelfs Kirsten gebaarde dat hij terug moest komen. Ze tikte op haar horloge en maakte een vierkant in de lucht met haar vingers. De film!

'Ga je vanavond ook naar het dancefeest?' vroeg Iris.

'In The Palace,' verduidelijkte Natalja glimlachend.

Mees schudde zijn hoofd. 'Te duur,' zei hij heel eerlijk. Ze hadden het wel overwogen, maar het was gewoon te veel geld.

'Wij hebben kaartjes,' zei Xenia. 'Mijn broer werkt daar. 'Kostte ons niets.'

'Dat is mooi,' zei Mees. 'Ik wou dat ik zo'n broer had.'

'Waarom ga je niet mee?' vroeg Natalja en ze schoof iets dichter naar hem toe. Haar lange blonde haren bewogen vluchtig langs zijn wang.

'Ja, ik regel wel wat met mijn broer,' zei Xenia. Mees aarzelde.

'Hè toe!' Natalja pakte zijn arm vast. 'Xenia en Iris hebben allebei al iemand.' Ze trok een pruillip.

Iris boog naar voren. 'Natalja's vriend heeft het van de week uitgemaakt. Ze kan wel een leuke avond gebruiken.'

'Anders ik wel,' zei Mees en hij vertelde dat ook hij sinds kort alleen was. Heel even gleed zijn blik naar Kirsten, die hem van een afstand met grote ogen aankeek. Ze was verbaasd. Hij zag het. Maar hé, dit voelde goed. Deze meiden vonden hem aardig. Als Job al zo jaloers was, hoe zouden Pieter en Bilal en al die andere jongens op school dan wel niet reageren? Dit was zijn kans om te bewijzen dat ze ongelijk hadden. Dat hij ongelijk had. Als versieren van drie bloedmooie meiden hem zo gemakkelijk afging, dan betekende dat toch iets? En die blonde was echt bloedmooi. Om verliefd op te worden. Hij moest dit doen.

'Oké, ik ga mee,' zei hij toen. 'Leuk.'

Natalja bewoog haar hand over zijn arm. 'Je bent lief.' Ze sloeg haar ogen neer en Mees wist dat hij beethad. In gedachten zag hij zich maandag door de gangen van school lopen met Natalja. Hand in hand. Wat zouden ze opkijken. Hij, Mees de homo, ging met het mooiste meisje van de school.

'Wat spreken we af?' De stem van Xenia rukte hem los uit zijn gedachten.

'Zeg het maar.' Hij glimlachte naar Natalja, die hem nog steeds vasthield. Ze had prachtige ogen. Hij voelde een kriebel in zijn buik. Werd hij verliefd? Of waren het de zenuwen?

'Elf uur voor de ingang?'

'Prima.'

Xenia stond op. 'Ik moet weg.' Ze keek op haar horloge. 'Pianoles.'

Iris pakte haar tas. 'Ik ga met je mee. Natalja?'

Natalja liet Mees los. 'Ja, ja, ik ga ook.' Ze glimlachte. 'Ik zie je vanavond, goed?'

Mees knikte.

Terwijl de meiden naar de deur liepen, bleef Mees zitten. Vanuit zijn ooghoeken zag hij dat Job al aanstalten maakte. 'Nog even niet,' mompelde hij.

'Doei!' Natalja stond in de deuropening en zwaaide naar hem.

Mees stak zijn hand op. 'Tot straks.'

Toen was ze weg.

Als een speer vloog Job naar hem toe. Kirsten en Suze volgden.

'Tot straks?' Jobs stem sloeg over. 'Heb je een date?'

Mees knikte.

'Hoe? Waar? Wanneer?' Job pakte een stoel en ging er achterstevoren op zitten, zijn benen om de zitting, zijn armen op de rugleuning.

'Dat zijn drie vragen, Job.' Mees wist dat Kirsten nu

naar hem keek, maar hij ontweek haar blik.

'Vertel op, man!' Job stuiterde bijna op zijn stoel. 'Mij zagen ze niet eens staan en jij...' Hij stokte. 'Wat heb je gezegd?'

'Niets.'

'Niets?'

'Nee, niets. Ik vroeg of ik erlangs mocht.'

Job staarde naar de wisselautomaat. 'En dat was het?'

'Ja. Ze vroeg of ik erlangs kon.'

'En toen?'

Mees haalde zijn schouders op. Hij probeerde zo nonchalant mogelijk over te komen. 'Toen vroegen ze of ik alleen was.'

'Huh?' Job fronste zijn wenkbrauwen. 'Je hebt ons gewoon verraden, man!'

Mees schudde zijn hoofd. 'Wat denk je zelf? Zou ik dat doen?'

'Maar...'

'Ik hoefde niet eens antwoord te geven,' ging Mees verder. 'Xenia, die kleine, vroeg of ik erbij kwam zitten en haalde zelfs mijn kroket.'

'Ik snap hier helemaal niets van,' zei Job en hij zakte teleurgesteld in elkaar. 'Wat heb jij dat ik niet heb?'

'Geen idee, maar ik ga vanavond stappen met alle drie.'

'Alle drie?'

'Nou ja, eigenlijk met die blonde. Natalja heet ze. Haar vriend heeft het van de week uitgemaakt en ze wilde niet alleen zijn vanavond omdat haar vriendinnen wel met hun vriend gaan.'

Job kreunde. 'Oeh, meisjes met liefdesverdriet zijn zo kneedbaar.'

'Niet in jouw handen,' bromde Suze.

'Nee.' Job was direct weer alert. 'Waar?'

Mees fronste zijn wenkbrauwen. 'Hoe bedoel je?'

'Waar gaan jullie heen vanavond?' Hij grijnsde. 'Dan komen wij ook gezellig.'

'The Palace. Dancefeest.'

'Maar dat is hartstikke duur, man,' riep Suze.

'Ik krijg een kaartje van Xenia,' zei Mees. 'Een van die meiden.'

'Je meent het!' Suzes mond viel open.

'Xenia's broer werkt daar en ritselt kaartjes.'

Kirsten sloeg haar armen over elkaar. 'En wij?'

'Huh?' Mees keek op.

'Krijgen wij ook een kaartje?'

'Ja,' zei Suze. 'Dat heb je toch wel gevraagd?'

'Nou, ze zou voor mij een kaartje regelen. Ik heb verder niet...'

Kirsten liet hem niet uitpraten. 'Mees, waar ben je mee bezig?'

'Lekker dan,' zei Job. 'Dus je laat ons in de steek voor een paar grietjes?'

'Moet jij nodig zeggen,' riep Mees. De woorden van Job en Kirsten vielen verkeerd. Hij voelde zijn stem trillen. 'Jij wilde met haar naar de film. Als je je zin had gekregen, had je ons ook laten zitten vanavond. Nu het niet gelukt is, ga je mij een beetje dissen?' Een felle blik naar Kirsten was zijn antwoord aan haar.

'Ik vind het ook niet leuk,' zei Suze. 'Jij lekker feesten en wij niet.'

'Stelletje egoïsten!' Mees stond op. Hij was er helemaal klaar mee. Geen van zijn vrienden dacht met hem mee. Job was alleen maar pissig dat hij er niet in geslaagd was om Natalja te versieren. Suze wilde gewoon losgaan op dat dancefeest en Kirsten? Kirsten wilde hem weghouden van die meiden omdat ze dacht dat hij het niet meende. Nou, dan vergiste ze zich. Hij meende het wel degelijk. Natalja was precies wat hij op dit moment nodig had.

Met grote stappen liep hij de snackbar uit.

Hoofdstuk 10
Rustig aan

'Joehoe, we staan hier!'

Mees zag de zwaaiende arm van Natalja en liep naar haar toe. Xenia en Iris waren er ook al, samen met hun vriendjes, die zich aan hem voorstelden. Sjoerd en Mark. Het waren oudere jongens, begin twintig. Hij kende ze niet.

'Mark woont in Groningen,' zei Xenia en ze duwde zich tegen hem aan. De hand van Mark verdween onder haar shirt en Mees zag dat hij zachtjes in haar borst kneep. Ze lachte en stak haar tong uit. Gretig zoende Mark haar. Mees slikte. Als dit nog maar het begin was van de avond, dan stond hem nog heel wat te wachten.

Natalja leidde hem af. 'Leuk dat je er bent.'

'Ja.' Mees zag dat ook Iris en Sjoerd verwikkeld waren in een heftige zoenpartij en voelde zich behoorlijk opgelaten.

'Let maar niet op hen,' zei Natalja. 'Dat gaat de hele avond zo. Begrijp je nu waarom ik niet alleen wilde zijn?' Nog voordat hij iets kon zeggen, sprak ze verder. 'Mark en Sjoerd studeren. Mark in Groningen en Sjoerd in Amsterdam. Ze kunnen alleen in de weekenden hier zijn. Ze missen elkaar gewoon.'

Mees knikte en vroeg zich af wat hij nu moest zeggen of doen. Wilde Natalja dat hij haar vasthield? Of juist niet? Moest hij haar nu al zoenen? Verwachtte ze dat van hem? Was dat niet een beetje raar? Ze kenden elkaar amper.

'Waar woon jij?' Natalja's vraag was onverwacht neutraal.

Mees glimlachte. Praten dus. 'Bij het park. En jij?'

'Vlak achter school. Heel handig bij tussenuren.' Ze lachte wat nerveus en Mees ontspande. Natalja was net zo gespannen als hij.

Ze pakte zijn arm vast. 'Heb jij broers en zussen?'

Terwijl ze over koetjes en kalfjes praatten, schoven ze langzaam in de richting van de ingang. Het was behoorlijk warm binnen. Nadat ze hun jas hadden afgegeven, gingen ze de zaal in. De dansvloer was overvol. Xenia en Iris verdwenen al snel met hun vriendjes in de dansende menigte.

'Iets drinken?' Mees gebaarde naar de bar, waar het iets rustiger was.

'Straks.' Natalja trok hem mee naar de dansvloer. 'Eerst dansen.'

Hij kon niet anders dan haar volgen. De muziek was

opzwepend. Dance met een vrolijke beat. Natalja bewoog zich soepel op het ritme van de muziek en danste zich de dansvloer op. Mees volgde. Die meid was fantastisch! De dansende mensenmassa week uiteen en omsloot hen.

'Je danst lekker!' Natalja's stem kwam bijna niet boven de muziek uit. Ze lachte naar hem en Mees knikte. 'Jij ook,' zei hij. De woorden kwamen recht uit zijn hart. Wat een leuke meid. En ze was superlief. Alles zat mee. Dit kon wel eens serieus worden.

Heel even stopte Natalja met dansen. Ze sloeg haar armen om zijn hals en drukte hem tegen zich aan. Haar heupen bewogen weer, maar nu tegen hem aan. Haar lange blonde haren zwaaiden heen en weer. Verrast door haar actie, werd hij overmoedig en pakte haar heupen vast. Samen volgden ze het ritme van de dreunende boxen. De vloer trilde. Of waren het zijn benen? Mees liet zijn handen verder om haar middel glijden. Zijn vingers omklemden haar billen. Ze liet niets merken en danste door. Haar hoofd rustte nu tegen zijn schouder. Zo makkelijk ging dat dus. Mees merkte dat er naar hem gekeken werd. Een triomfantelijk gevoel maakte zich van hem meester. Kijk maar goed allemaal, schoot het door zijn hoofd. Deze mooie meid is van mij. Ik mag haar vasthouden, met haar dansen en wie weet wat nog meer.

Ruim een halfuur lang dansten ze samen. Mees voelde het zweet over zijn voorhoofd lopen. Natalja was onvermoeibaar.

'Kom, we gaan wat drinken.' Mees trok haar mee de

dansvloer af. Hij kon niet meer. 'Wat wil jij?'
Natalja bleef staan en gaf een ruk aan zijn arm, waardoor hij zijn evenwicht verloor. 'Jou,' zei ze en ze trok hem naar haar toe.

Voordat Mees kon reageren, voelde hij haar lippen op zijn mond. Overdonderd als hij was, opende hij zijn mond en zoende terug. Dit had hij niet verwacht. Terwijl Natalja haar handen om zijn hals legde bedacht hij dat iedereen hen kon zien. Ze stonden naast de dansvloer, het gedeelte waar het wat rustiger was. De mensen bij de bar hadden vrij zicht op wat zich voor hun neus afspeelde.

Gevoelens van schaamte en trots vervulden hem. Ze zoende hem terwijl iedereen toekeek! Hoe vet was dat? Stiekem hoopte hij dat er leerlingen van school tussen stonden. Pieter. En die etterbakken uit de tweede. Dat zou mooi zijn. Dit was het bewijs tegen hun valse beschuldigingen.

Terwijl hij Natalja's bewegingen volgde, realiseerde Mees zich dat hij dit nog nooit met Kirsten had gedaan. Zo onbeschaamd zoenen in het openbaar. Het voelde best kicken. Ze zoende goed.

Plotseling liet Natalja hem los. Haar ogen schitterden en ze hijgde. 'Jij bent een natuurtalent,' fluisterde ze. 'Waar was je al die tijd?'

Mees voelde zijn hoofd bonzen. 'Gewoon... hier.'

Nog voordat hij goed en wel adem kon halen, zoende ze hem weer. Haar handen omklemden zijn billen. Mees voelde haar rondingen tegen zijn lijf. Wow, die meid had er zin in. Terwijl hij haar zoende, besefte hij dat hij de hele avond nog niet aan Job gedacht had.

Natalja's rechterhand schoof langs zijn heup naar voren. Ze kreunde licht. Mees voelde haar vingers bewegen op zijn kruis. Ze ging toch niet...? Hij opende zijn ogen en keek langs haar heen naar de bar. Een paar jongens staken hun duim op. Ze waren duidelijk onder de indruk van het tafereel.

Mees voelde zich onrustig. Ongemakkelijk zelfs. Hij besefte dat hij geen controle had over de situatie. Hij liet het gebeuren. Was dit wat hij wilde? Of was het wat Natalja wilde?

Zijn lichaam reageerde overduidelijk afwijzend en hij merkte dat Natalja het voelde. Ze liet hem los en haar blik gleed naar zijn middel. 'Vind je het niet lekker?'

Mees knikte. Hij zou wel gek zijn als hij nee zei. Dan was het meteen over en uit en was hij haar kwijt. Dat wilde hij niet. Hij had haar nodig. 'Heel lekker.' En op een bepaalde manier was dat ook zo.

'Daar merk ik anders niets van.' Natalja's ogen schitterden.

Hij had tijd nodig. 'Rustig aan,' fluisterde Mees en hij gaf haar een kus op haar neus.

Natalja draaide met haar lichaam. 'Jij bent echt een coole, zeg!'

'Ik hou nu eenmaal van langzaam.' Hij streelde haar wang. 'We hebben de hele avond nog, toch?'

Natalja knikte. 'Je hebt gelijk.' Ze gaf hem een knipoog. 'Spannend.'

Vanuit zijn ooghoeken zag hij de jongens smoezen en steelse blikken werpen op Natalja. Eentje wapperde met zijn handen en trok een pijnlijk gezicht alsof hij zich ergens aan had gebrand. Mees glimlachte en sloeg zijn arm om Natalja heen. 'Kom, we gaan je vriendinnen eens opzoeken.' De avond verliep fantastisch. Mees voelde zich meer en meer op zijn gemak. Natalja was een vrolijke, slimme meid die van aandacht hield. Mees maakte daar handig gebruik van. Hoe afstandelijker hij deed, hoe hartstochtelijker ze werd. Ze dansten, praatten, lachten en zoenden. De onhandigheid die hij voelde aan het begin van de avond, was totaal verdwenen. Zo deed je dat dus! De tijd nemen en het langzaam opbouwen. Wedden dat hij smoorverliefd werd op deze godin? Dat kon niet anders. Hij hoefde alleen maar in haar buurt te blijven. Dan kwam het vanzelf. Zijn gevoelens voor Job zouden straks niets meer zijn dan een vage herinnering.

Tegen vieren verlieten ze The Palace. Iris en Xenia waren in geen velden of wegen te bekennen. Natalja zat er niet mee. 'Laat ze, ik heb jou nu toch?'

Mees haalde de jassen op en liep met haar naar buiten. 'Ben je met de fiets?'

Natalja schudde haar hoofd. 'Mijn vader heeft me gebracht met de auto. Jij?'

Mees knikte. 'Ja, mijn fiets staat daar.' Hij wees naar de overkant van de weg.

'Mooi, dan ga ik wel bij jou achterop.'

Ze staken de weg over en Mees haalde zijn fiets van

het slot. Hij gaf een ruk aan zijn bagagedrager en grijnsde. 'Even checken of hij wel vastzit.' Hij zwaaide zijn
been over zijn zadel en ging zitten. 'Klaar?'

Natalja pakte zijn middel beet en liet zich vallen. 'Rij-
den maar!'

Ze sloeg haar armen om zijn middel. Mees voelde haar
hoofd tegen zijn rug. 'Zit je lekker?'

'Heel lekker.'

Natalja woonde inderdaad vlak achter de school.
Mees fietste de donkere straat in. Nergens brandde nog
licht.

'Daar, bij nummer 10.' Ze wees naar het hoekhuis.

Mees remde voor de ingang van het tuinpad en Natalja
sprong van de fiets. 'Ga je nog even mee naar binnen?'
Haar uitnodigende blik was overduidelijk.

Mees aarzelde.

'Mijn ouders slapen, hoor,' zei ze. 'En die zijn wel wat
gewend.'

De woorden van Natalja maakten Mees er niet geruster
op. De hoeveelste was hij eigenlijk? 'Eh... nee. Ik ga
naar huis.' Hij gaf haar een kus. 'Je weet het, hè? Rustig
aan.'

Natalja keek teleurgesteld. 'Gewoon wat drinken
nog.' Ze drukte zich tegen hem aan. 'Ik beloof je dat het
daarbij blijft.'

Mees schudde zijn hoofd. 'Ander keertje, goed?' Hij
draaide zijn fiets.

'Je bent bijzonder.' Natalja sprak de woorden liefko-
zend uit. 'Ik heb nog nooit een jongen ontmoet die zo
schattig was.'

'Schattig?' Mees keek verbaasd.

'Ja, je bent lief en ruig tegelijk. Een beetje zacht, maar ook stoer. Stuntelig en zelfverzekerd. Kortom: niet te peilen.' Ze wachtte even. 'Daar hou ik wel van. Ik ben voorlopig nog niet met jou klaar.' Ze maakte een kusgebaar.

'Wanneer spreken we weer af? Morgen?'

'Eh... nee, morgen is mijn oma jarig.'

'Zondag dan?'

'Uitwedstrijd.' Mees zag dat ze teleurgesteld was. 'Ik wou dat het anders was.'

'Geeft niet. Ik zie je maandag, goed?' Ze glimlachte.

'Rustig aan.'

'Ja, rustig aan.' Mees aarzelde.

'Ga nou maar,' zei Natalja. 'Voor ik me bedenk.'

Mees gaf haar een laatste kus en zonder om te kijken fietste hij de straat uit. Hij kon het nog steeds niet geloven. Ze hadden afgesproken voor maandag. Hij kon niet wachten.

Thuis aangekomen sloop hij direct naar boven en opende de slaapkamerdeur van zijn ouders. 'Ik ben thuis, hoor.'

Het slaperige hoofd van zijn moeder kwam tevoorschijn. 'Was het gezellig?'

'Ja, super. Welterusten.'

'Welterusten, jongen.'

Mees sloot de deur en liep naar zijn kamer. Buiten werd het al licht. Hij trok zijn kleren uit, poetste zijn tanden en stapte in bed. Zijn mobiel hing hij aan de oplader naast zijn bed. Het scherm lichtte op en hij zag dat er dertien berichten waren. Twee van Bernd, tien van zijn vrienden en één van Natalja.

Mees ontgrendelde zijn scherm en opende zijn berichten.

20.22 Bernd
Wedstrijd zondag 11.30 uur

20.26 Bernd
Bevestig ff

21.10 Kirsten
Hé, ben je nog boos?

21.26 Kirsten
Doe je voorzichtig? x

21.29 Kirsten
Wij zijn in de bios. Pauze.
Toch Vin Diesel

21.36 Kirsten
Laat ff wat horen, ok?

22.25 Kirsten
We gaan de stad in.
Waar ben je nu? Maak me zorgen.

22.58 Suze
Als er nog kaarten zijn, bel effe.

23.12 Job
Jaloers! Hoe gaat-ie?

23.45 Kirsten
Mees!

00.10 Job
Nog in The Palace?

01.14 Kirsten
Fietsen nu naar huis. Alles goed?

4.35 Natalja
Slaap lekker. Bel je morgen? xxx

Mees drukte het scherm uit. Morgen was vroeg genoeg. Ze sliepen toch al allemaal.

Op dat moment ging de deur van zijn slaapkamer open. Het gezicht van zijn moeder verscheen in de deuropening. 'Je bent nog wakker.'

'Ja.' Mees legde zijn telefoon neer.

Zijn moeder kwam op de rand van zijn bed zitten. 'Was het leuk met dat meisje?'

Mees had haar niet veel verteld over zijn date. Alleen dat het een meisje was van school. 'Ja hoor.' Het kwam er minder enthousiast uit dan hij wilde.

Zijn moeder keek nieuwsgierig. 'En?'

'En wat?'

'Is het wat geworden?'

'Ik geloof het wel.' Mees wist dat zijn moeder aan het vissen was.

'Neem haar maar een keertje mee naar huis.'

'Maham!' Mees trok een lang gezicht.

Zijn moeder glimlachte. 'Ik ben gewoon nieuwsgierig.'

'Dat weet ik, maar ik bepaal zelf wel wie ik mee naar huis neem of niet.'

'Kirsten was hier kind aan huis.'

Mees zweeg. Dat was nu echt weer zo'n opmerking van zijn moeder. Hij wist heel goed wat ze daarmee bedoelde.

'O, dus je wilt Natalja vergelijken met Kirsten? Nou, mooi niet! Ze zijn totaal verschillend.'

'Daarom juist.' Zijn moeder pakte zijn hand. 'Ik ben gewoon een beetje bezorgd.'

'Dat hoeft niet.' Mees zakte onderuit en trok het dekbed tot aan zijn borst. 'Het gaat prima.'

'Echt?'

Mees hief zijn handen. 'Ja, wat wil je nou, mam? Zeg wat je bedoelt of ga slapen.'

'Ik weet het niet precies, maar er klopt iets niet.'

Dit had hij niet verwacht.

'De laatste tijd, sinds Kirsten het heeft uitgemaakt, voel ik dat er iets is.'

'O?' Mees trok het onschuldigste gezicht dat hij had.

'Mag ik je iets vragen?'

'Dat doe je al de hele tijd, mam.'

'Waarom heeft Kirsten het uitgemaakt?'

'Dat heb ik je verteld. Ze is verliefd op iemand anders.' Hij sloeg zijn armen over elkaar heen. 'Verder nog iets?'

'Je was er snel overheen.'

De onderzoekende blik van zijn moeder maakte hem nerveus. Waar wilde ze naartoe?

'Mees, was je echt verliefd op Kirsten?'

'Wat is dat nou voor een vraag?'

'Geef eerlijk antwoord,' drong zijn moeder aan.

'Ja, tuurlijk.' Hij schoot overeind. 'Mam, we gingen al drie maanden met elkaar. We wilden zelfs met elkaar...' Hij stokte. 'Nou ja, je snapt me wel.'

Zijn moeder glimlachte. 'Verliefd zijn is heftig. Als de een dan opeens niet meer wil, ben je achtereenvolgens bang, boos en bedroefd.' Ze zuchtte. 'Dat mis ik bij jou.'

Mees zweeg.

'Je praat er niet over, bent gespannen. Je bent sowieso erg gesloten de laatste tijd. Ik maak me gewoon zorgen. Zoiets heeft een behoorlijke impact op je, hoor.' Ze streelde het dekbed en pakte zijn been vast. 'Ik wil alleen maar zeggen dat je altijd kunt komen praten.' Ze keek achterom. 'Wij samen, zonder papa en Thomas erbij.' Ze wachtte. 'Misschien was je niet echt verliefd op Kirsten.'

Mees bewoog zijn schouders. Hij had geen zin in dit gedoe.

'Dat nieuwe meisje.' Zijn moeder keek hem doordringend aan. 'Ben je verliefd?'

'Ik denk het wel.' Mees vloog overeind. 'Wat maakt het uit? Ze is helemaal weg van mij. En het is het mooiste meisje van de school. Alle jongens zijn jaloers op me. Dat is toch vet?'

'Hoor je wel wat je zegt?'

Mees gromde. 'Tuurlijk hoor ik wat ik zeg. Ik ben niet doof!'

'Je weet dat ik van je hou.'

'Mahaaaam!'

'Oké, niet boos worden, maar ik heb het gevoel dat meisjes jou niet zo interesseren.'

Mees was met stomheid geslagen.

'Dat je meer op jongens valt.'

Het was alsof het bed onder hem vandaan werd getrokken.

'Ik bedoel... het zou toch kunnen? Papa en ik hebben er helemaal geen problemen mee als je thuis zou komen met een jongen. Ik heb het wel eens vaker gedacht. Je gaat zo makkelijk met meisjes om. En daarbij ben je anders dan papa en Thomas.'

'Doe niet zo achterlijk!' Mees' stem sloeg over. 'Ik vertel je net dat ik met het mooiste meisje van de school heb gezoend.'

'Dat zegt toch niets, liever. Misschien ben je er nog niet helemaal uit. Ben je aan het uitzoeken wat je echt voelt. Als je maar weet dat het mij niets uitmaakt. En papa ook niet.'

'Wat wil je nou dat ik zeg?'

Zijn moeder keek hem onderzoekend aan. 'De waarheid.'

'Nou, die weet je. Ik ben geen homo!' De woorden galmden door zijn hoofd.

Zijn moeder boog naar voren en gaf hem een kus. 'Als jij zegt dat het niet zo is, dan geloof ik dat.' Ze stond op en liep naar de deur. 'Als je maar onthoudt dat de deur altijd openstaat. Welterusten, slaap lekker.'

'Ja, welterusten.' Mees knipte het licht uit en staarde met grote ogen in het duister.

Hoofdstuk 11

Doe het gewoon!

'Hé, schatje!' Natalja stond hem op te wachten bij het fietsenrek.

Mees reed naar haar toe en schoof al fietsend zijn voorwiel in het rek. Nog voordat hij af kon stappen, had ze hem al een kus gegeven. 'Ik heb je gemist.' Haar zachte stem klonk zwoel.

Mees keek om zich heen. Het was druk op het schoolplein. Er werden nieuwsgierige blikken geworpen. 'Ik jou ook,' zei hij en hij drukte haar tegen zich aan. Er klonk zacht gefluit in de verte. Vanuit zijn ooghoeken zag hij Pieter lopen. Mooi!

'Niet op letten,' fluisterde Natalja en ze zuchtte.

Mees besefte dat Natalja gewend was aan alle aandacht. Hoe leuk hij het nu nog vond, hij kon zich voorstellen dat het op een gegeven moment vervelend werd.

In de verte kwamen Suze en Kirsten aanfietsen. Mees

zette zijn fiets op slot en pakte zijn tas. 'Zullen we naar binnen gaan?'

Hij had absoluut geen behoefte aan een confrontatie op de vroege morgen. Het gesprek dat hij zaterdag met Kirsten had gevoerd, was niet al te best verlopen. Kirstens bezorgdheid was omgeslagen in verontwaardiging toen hij haar vertelde dat hij en Natalja maandag weer hadden afgesproken en dat hij alleen naar school zou fietsen.

'Hoe kun je dat nou doen,' had ze gezegd. 'Je voelt niets voor haar. Je valt op jongens!'

Waar bemoeide ze zich mee! 'Dat heb ik helemaal niet gezegd. Ik zei dat ik het niet zeker weet. Dat is heel wat anders.'

'Wie houd je voor de gek, Mees? En erger nog: je bent niet eerlijk tegen Natalja.'

'En dat bepaal jij?'

'Is ze soms jouw proefkonijn?'

'Gaat je geen bal aan!'

De woorden waren over en weer gevlogen en uiteindelijk had Mees het gesprek beëindigd. 'Jij wilde mij toch niet? Nou dan! Bemoei je met je eigen zaken en laat mij met rust.' Op het moment dat hij de verbinding verbrak, hoorde hij Kirsten nog brommen. Pech dan!

Hij had het hele weekend niets meer van Kirsten vernomen. Het was overduidelijk dat ze bij Suze had uitgehuild, want ook Suze had niet meer ge-sms't of gebeld.

Job wel. Die hing zaterdag aan het begin van de avond gelijk aan de telefoon en wilde alles weten.

'Ze vroeg me mee naar binnen,' had Mees zijn verslag

afgesloten. 'Die griet is echt hot, man.'

'Vet! Ik ben jaloers,' had Job gezegd. 'Hebben ze niet nog ergens een paar vriendinnen die niet bezet zijn?'

Het voelde vreemd om Job te vertellen hoe leuk Natalja was. Mees had zijn woorden zorgvuldig gekozen. Ruzie met Job was wel het laatste wat hij wilde.

De zondag was rustiger verlopen. Ze hadden gewonnen met vier-nul en hij had zijn huiswerk gemaakt. Nu was het maandag en hij was tien minuten eerder van huis gegaan om alleen naar school te kunnen fietsen.

'Mees!' Kirsten fietste het schoolplein op en slalomde om een paar brugklassers heen.

Mees wilde weglopen, maar Natalja hield hem tegen. 'Dat meisje roept je.'

Hij kon er niet onderuit en draaide zich om. Kirsten remde en kwam vlak bij hem tot stilstand. 'Ik moet met je praten.'

'Ik niet met jou.' Mees pakte Natalja's arm. 'Kom, we gaan naar binnen.'

Maar Natalja bleef staan. 'Stel je ons niet even voor?'

'Natalja, dit is Kirsten, een meisje uit mijn klas. Kirsten, dit is Natalja, mijn vriendin.'

De twee meiden knikten naar elkaar. Mees voelde zich niet op zijn gemak. Wat wilde Kirsten?

Kirsten wendde zich tot Natalja. 'Mag ik heel even alleen met hem praten? Het gaat over mijn ouders.'

Mees schrok. Was er iets gebeurd bij Kirsten thuis? Een gevoel van schaamte overviel hem. Hij had alleen maar aan zichzelf gedacht. Het was geen moment bij hem opgekomen dat Kirsten wellicht ook met dingen zat. Hij knikte naar Natalja. 'Laat ons maar even. Ik kom zo.' Natalja aarzelde, maar liep toen weg.

'Wat is er met je ouders?' vroeg Mees toen Natalja buiten gehoorsafstand was.

Kirsten keek hem doordringend aan. 'Het spijt me.' Mees' bezorgdheid sloeg om in irritatie. Er was helemaal niets gebeurd bij Kirsten thuis. 'Dat was het?'

'Mees, toe. Ik zeg toch dat het me spijt. Ik had je nooit...'

'Inderdaad.'

'Maar ik deed het met de beste bedoelingen.' Ze pakte zijn arm vast. 'Luister, we hebben allebei dingen gezegd die we niet meenden, toch?'

Mees keek achterom. Natalja stond bij de ingang van school en keek naar hen.

'Mees, ik wil geen ruzie met jou. Je bent mijn beste vriend.'

'Laat me dan gewoon,' zei Mees. Hij zag Suze haar fiets op slot zetten. 'Heb je het Suze verteld?'

'Wat?'

Een dwingende blik van Mees was genoeg.

'Nee, natuurlijk niet,' zei Kirsten. 'Wel van onze ruzie, maar niet van je-weet-wel.'

Mees deed een stap opzij, zodat Kirstens arm hem losliet. 'Luister,' siste hij. 'Ik moet dit uitzoeken. Alleen!' Hij wachtte even. 'Je hoeft je geen zorgen te maken over mij. Je hebt al genoeg shit thuis. Ik weet wat ik doe. Echt!'

Kirsten sloeg haar ogen neer. 'Zijn wij dan weer oké?'

Haar ogen werden vochtig. 'Ik voelde me zo rot gister. Ik heb je nodig, Mees. Juist nu. Jij bent de enige die weet hoe ik ben en hoe het is thuis.'

Mees liet zijn tas van zijn schouders vallen en sloeg zijn armen om Kirsten heen. 'Het is goed. Sorry! Ik had me niet zo mogen afreageren op jou.'

'Twee meisjes, Mees?' De stem van Pieter verstoorde het moment.

Mees liet Kirsten los en pakte zijn tas. 'Zie je zo in de klas.' Zonder Pieter een blik waardig te keuren, liep hij naar Natalja, die nog steeds bij de ingang stond te wachten.

'Is er iets ergs gebeurd?' Natalja pakte zijn hand en samen liepen ze de school in. 'Ze huilde.'

'Ja, haar ouders gaan scheiden,' legde Mees uit. 'Ze heeft het moeilijk.'

'Ken je haar goed?'

Mees knikte. 'Kirsten woont bij mij in de straat. We zijn al vrienden vanaf de kleuterschool.'

'Meer niet?' Natalja keek hem onderzoekend aan.

'Nee, meer niet.' Het was de waarheid.

Ze gaf hem een kus op zijn wang. 'Ik heb wiskunde op de derde.' Ze zwaaide. 'Zie ik je in de pauze?'

Mees knikte en liep door naar zijn eigen kluisje.

'Hoe zit dat nou?' Pieter leunde tegen de zijkant van de kluisjeswand. 'Heb ik me dan zo vergist in jou?'

'Kennelijk,' mompelde Mees, die gehurkt voor zijn kluisje zat.

'Of vergis jij je in jezelf?' Pieter keek naar Natalja, die iets verderop bij haar kluisje stond. 'Ook sneu voor die griet als ze erachter komt.'

'Ach, man. Rot toch op.'

Pieter grijnsde. 'Eerlijk zijn is soms best lastig.' Mees sloot zijn kluisje en pakte zijn tas. 'Moet jij nodig zeggen. Geef nou maar gewoon toe dat je jaloers bent!' Hij liep langs Pieter de gang in en haalde diep adem. Wat een eikel, zeg.

Mees probeerde in de weken erna zijn aandacht zo goed mogelijk te verdelen tussen Natalja, zijn vrienden en school. Dat was nog best moeilijk. Thuis kon hij het wel handelen, maar op school was hij soms de grip kwijt.

In de grote pauze eiste Natalja alle aandacht op en kon hij onmogelijk met zijn vrienden praten. Ze gaf ook duidelijk aan dat ze geen behoefte voelde om zijn vrienden te leren kennen. Of zijn ouders. Ze was gek op hem, zei ze. Niet op zijn vrienden of familie. Telkens als hij iets vertelde over zijn ouders of broertje, of als hij haar bij hem thuis uitnodigde, hield ze de boot af. Ze waren meestal bij haar als er niemand thuis was, of ze gingen ergens heen. Naar het park, het meer, een café.

Mees voelde zich ongemakkelijk bij de situatie. Het was alsof hij zich in twee werelden bevond die niets met elkaar te maken wilden hebben. Suze, Kirsten en Job lieten hem duidelijk merken dat ze hem misten. Maar hij wilde Natalja niet kwijt. Natalja was zijn harnas. De veilige laag die hem beschermde tegen het oordeel van anderen.

Nog steeds voelde Mees het vuur branden als hij bij Job in de buurt was. Een waakvlam weliswaar, maar het gevaar lag op de loer dat hij ontvlamde. Suze, Kirsten en Job leken een nog hechtere band te krijgen nu hij er niet meer zo vaak bij was. Van wat hij begreep waren Kirsten en Job afgelopen weekend samen wezen stappen, omdat Suze naar Zeeland was om kennis te maken met haar moeders vriend.

Job had er niet veel over verteld, maar Mees was blij dat Kirsten op deze manier wat afleiding kreeg. Hij had gewoon minder tijd voor haar nu. Natalja slokte veel aandacht op. En hoe!

Mees moest wennen aan haar aanrakingen, haar gestreel en haar vele zoenen, terwijl iedereen toekeek. Soms werd het hem te veel. Dan zei hij dat hij naar het toilet moest en bleef dan langer dan nodig weg. De bel die het einde van de pauze aangaf, klonk hem soms als muziek in de oren.

Ondanks het ongemakkelijke gevoel, was hij ook trots. De hele school was op de hoogte van zijn relatie met Natalja en dat kreeg hij te horen ook. Wildvreemde jongens die hem schouderklopjes gaven, docenten die knipoogden, gefluit als Natalja hem weer eens midden op de gang zoende. Zelfs meisjes die hem verleidelijke blikken toewierpen als Natalja niet in de buurt was. Hij was de hunk van de school geworden en dat beviel hem prima. Het leidde af. Zelfs Pieter leek om. Hij was gestopt met zijn flauwe opmerkingen en keek alleen nog maar bewonderend.

Natalja was overweldigend. Niet te stoppen. Mees kon het nog steeds niet geloven, maar ze waren met elkaar naar bed geweest. Gisteravond, bij haar thuis. Natalja had het initiatief genomen toen ze de condooms in zijn tas vond. Die zaten er nog in uit de tijd met Kirsten. Het doosje was ongeopend. Natalja had gekraaid van plezier toen hij haar vertelde dat hij het nog nooit had gedaan, maar dat hij het wel graag wilde. Ze had hem niet eens laten uitpraten en hem op haar bed getrokken. Terwijl ze zijn riem losmaakte, had hij angstig naar de deur gekeken. 'Je ouders,' had hij gefluisterd. Maar Natalja liet zich niet afleiden. 'Mijn ouders respecteren mijn privacy,' had ze gezegd en haar vingers maakten zijn knopen los. 'Die komen echt niet binnen.' Ze boog voorover. 'Tenzij je heel hard gaat gillen natuurlijk.' Haar blonde haren kietelden op zijn buik. Langzaam had ze hem uitgekleed en ook haar kleren gingen uit. Mees staarde naar haar prachtige lichaam. Er woedde een storm in zijn lijf. Gevoelens van lust en schaamte vochten het uit.

'Relax, liefje,' fluisterde Natalja en ze kwam boven op hem liggen. Haar vingers streelden zijn wang. 'Ik ga je laten genieten.' Haar lichaam bewoog soepel en Mees had zich eraan overgegeven.

En nu was het ochtend. Een gewone schooldag. Maar niet voor Mees. Het was net alsof de wereld had stilgestaan en nu weer begon te draaien. Hij had het gedaan. En het was nog gelukt ook. Hij had vreselijk zijn best moeten doen, maar Natalja kon tevreden zijn. Ze liet geen ogenblik onbenut om hem eraan te herinneren dat dit het begin was van veel meer. Haar toespelingen gingen gepaard met verleidelijke blikken en schaamteloos gekroel.

'Joehoe!' Natalja's stem galmde door de gang.

Het was twaalf uur en Mees kwam net het biologielokaal uit, samen met Kirsten, Suze en Job. Natalja duwde Kirsten en Suze uit elkaar en greep Mees bij zijn arm. 'Dag, schatje. Lekker geslapen?' Haar stem maakte een geheimzinnige draai bij de laatste twee woorden. Suze draaide haar hoofd weg. Mees zag dat ze haar lachen inhield. Ook Kirstens ogen twinkelden.

'Hoi.' Mees nam de kus van Natalja wat afstandelijk in ontvangst.

'Hoi? Is dat alles wat je kunt zeggen als je mij ziet?' Natalja trok hem mee naar het raam en drukte haar mond op zijn lippen.

Mees duwde haar van zich af. 'Nu even niet.' Hij zag de nieuwsgierige blikken van zijn vrienden.

Natalja trok een pruillip. 'Ben je niet blij me te zien?'

'Jawel, maar je moet een beetje rekening houden met anderen.'

'Waarom?' Natalja draaide zich om. 'Ze weten toch hoe het zit?' Ze zwaaide naar Suze, Kirsten en Job. 'Als je verliefd bent, ben je nu eenmaal gericht op maar één ding. Jij vond het toch ook lekker?' Ze draaide zich om. 'Mees is geweldig in bed.'

Jobs mond viel open en Suze schoot in een lachstuip.

'Oeps, sorry hoor. Maar is dit niet een beetje over de top?'

Mees zag dat Kirsten hem met grote ogen aankeek. Hij deed een stap opzij, zodat Natalja hem wel los moest laten. 'Eh... ik moet naar geschiedenis. Ik zie je straks, goed?'

'Oké.' Natalja gaf hem een kus. 'Tot zo in de pauze.' Met kleine, snelle passen liep ze door.

'Nou, dat weten we dan ook weer.' Job grijnsde. 'Gefeliciteerd, man!'

'Ach, sodemieter toch op!' Met grote stappen liep Mees weg. De gang uit, de mediatheek in. Er was niemand. Gelukkig. Mees liep om de boekenkast heen en ging op de vensterbank zitten.

'Mees?' Het was de stem van Kirsten.

Mees wilde opstaan, maar ze had hem al gezien en kwam naar hem toe. 'Hebben jullie het gedaan?'

Mees wist niet of dit nu een vraag of een constatering was.

Ze kwam vlak voor hem staan. 'Hoe was het?'

'Gaat je niets aan.'

'Je weet best wat ik bedoel,' fluisterde Kirsten.

'Nee, eerlijk gezegd niet, nee.' Mees wilde weglopen, maar Kirsten hield hem tegen.

'Ik moet het weten,' zei ze. Ze had een vreemde blik in haar ogen.

Mees fronste zijn wenkbrauwen. 'Waarom?'

Kirsten sloeg haar ogen neer. 'Ben je...' Ze stokte. 'Was het...' Weer stopte ze met praten.

'Wat bedoel je nou?' Mees werd zenuwachtig van haar gedrag.

'Of je het nu zeker weet,' zei Kirsten en ze haalde diep adem. Ze keek om zich heen. 'Of je homo bent,' fluisterde ze.

Mees hapte naar adem. 'Dat gaat je niets aan!' snauwde hij. 'Kun je nu alleen maar aan jezelf denken?'

'Aan mezelf?' Kirsten reageerde verbaasd.

'Ja, je wilt toch weten of je de juiste beslissing hebt genomen door het uit te maken met mij?'

Kirsten schudde haar hoofd. 'Je begrijpt het niet.' Ze keek naar Suze en Job, die aan kwamen lopen. 'Ik ben verliefd.'

'Ja, dat heb je verteld, ja.'

'Op Job.'

Het was alsof er een bom ontplofte in zijn hoofd. Beelden flitsten voor zijn ogen. Kirsten die kleurde als Job haar aankeek, de blikken over en weer de laatste tijd. De opmerking van Kirsten over haar onmogelijke liefde. Het was Job. Ze was verliefd op Job. Alle puzzelstukken vielen op hun plaats.

'Ik wilde er eerst niets mee,' fluisterde Kirsten. 'Jullie zijn vrienden en ik wilde geen ruzie.' Haar mondhoek trilde. 'Maar Job is ook op mij. Zaterdagavond...' Ze wachtte even. 'Nou ja, we zijn nu samen.' Ze haalde opgelucht adem. 'Zo, het is eruit.' Ze keek bezorgd. 'Toe, zeg iets.'

'Fijn voor jullie,' mompelde Mees en zijn hart bonkte.

'Ik maak me zorgen om je,' zei Kirsten.

'Dat hoeft niet.'

Kirsten kwam nog dichter bij hem staan. 'Jawel, want ik ben de enige die het weet.' Ze trok aan zijn mouw. 'Natalja. Je moet toch iets gevoeld hebben? Een bevestiging?'

Mees haalde diep adem. 'Misschien,' fluisterde hij. 'Wees eerlijk, Mees,' zei Kirsten. 'Vooral tegen jezelf.' Ze schudde haar hoofd. 'Natalja is een mooie meid en ze is gek op jou. En ik gun het je heel erg. Maar is dit wat je wilt?'

Mees boog zijn hoofd.

'Je weet nu hoe het met een meisje is,' fluisterde Kirsten. 'Zoek uit hoe het met een jongen is!' Ze gaf hem een kus op zijn wang. 'Doe het gewoon.' Terwijl ze wegliep, keek hij haar na. De bel ging.

Doe het gewoon! De woorden van Kirsten dreunden in zijn kop. *Zoek uit hoe het met een jongen is. Doe het gewoon! Zoek uit hoe het met een jongen is. Doe het gewoon!* Mees balde zijn vuisten. Hoe dan?

'Hé slome, we moeten naar geschiedenis!' riep Pieter vanuit de gang. 'Wat sta je te dromen, man! Mis je je vriendinnetje?'

Mees rechtte zijn rug en liep achter Pieter aan naar de trap. Kirsten had gelijk. Hij moest het uitzoeken.

Hoofdstuk 12
Op zoek

'Waarover wilde je met me praten?' Bernd gebaarde naar de tafel en ging zitten. Het was zaterdagochtend en Mees was in het huis van Bernd. Dat leek hem de veiligste plek om af te spreken.

De afgelopen weken had Bernd het team op de hoogte gehouden van zijn situatie. Zijn vriendin was bij hem weg en hij woonde nu samen met zijn vriend. De meeste jongens hadden begrip voor de situatie. Een enkeling sputterde nog wat tegen. Geen flauwe opmerkingen meer, daar waren afspraken over gemaakt, maar Mees wist dat het moeilijk bleef voor Bernd. Hoe open en eerlijk hij ook was. 'Er zullen altijd mensen zijn die het niet willen begrijpen,' had hij gezegd.

En nu zat Mees bij hem thuis. Hij had zelf gebeld om te vragen of hij mocht langskomen.

'Is Willem er niet?' vroeg Mees.

'Die is boven aan het werk,' antwoordde Bernd. 'Ik neem aan dat je alleen met mij wilde praten?'

Mees knikte. Hij vond het moeilijk om erover te beginnen.

'Wil je iets drinken?' Bernd wilde al opstaan, maar Mees schudde zijn hoofd. 'Nee, dank je.'

'Nou, vertel op. Wat was er zo dringend?' Bernd glimlachte. 'Je gaat toch niet van voetbal af?'

'Nee, nee.' De zenuwen gierden door zijn keel. 'Het is iets anders.' Hij keek Bernd aan. 'Iets wat alleen jij kunt weten.'

Het bleef even stil.

Bernd was de eerste die sprak. 'Laten we afspreken dat alles wat je mij vertelt, onder ons blijft. Ik weet hoe belangrijk dat is.' Zijn ogen straalden vertrouwen uit en Mees haalde diep adem. 'Ik weet niet zo goed wat ik precies voel,' fluisterde hij. 'Ik dacht dat ik verliefd was op een meisje, Kirsten, maar...' Hij aarzelde.

'Je twijfelt of je homo bent?' De woorden van Bernd stuiterden over tafel.

'Ja.' Mees kon niet anders dan het bevestigen.

Bernd leunde voorover. 'Vertel.'

Mees zuchtte. 'Om een lang verhaal kort te maken: Kirsten heeft het uitgemaakt. Ze zei dat we vriendschap verwarden met verliefdheid.' Hij keek op. 'We zijn beste vrienden, al vanaf de kleuterschool.'

Bernd knikte, maar zei niets.

'Ze zei dat ze verliefd was op een ander en legde uit hoe dat voelde. Daardoor ontdekte ik dat ik verliefd was

145

op een jongen. Mijn beste vriend nog wel.' Mees beet op zijn lip. 'Maar misschien is dat ook wel gewoon vriendschap, toch?'

'Jij weet dat het beste,' zei Bernd.

Mees schudde zijn hoofd. 'Ik denk dat het zo is.' Hij besloot alle kaarten op tafel te leggen. 'Ik ga nu met Natalja, het mooiste meisje van de school. Echt, die griet is stapelgek op me. Het ging zo makkelijk. We hebben het ook gedaan.'

'En?'

Mees haalde zijn schouders op.

'Dat klinkt niet al te enthousiast. Lukte het niet?'

'Jawel, maar...' Hij sloot zijn ogen en dacht terug aan het moment. 'Ik had me er meer van voorgesteld.'

'Dat hoor je wel vaker bij een eerste keer,' zei Bernd. 'Ik neem aan dat dat voor haar ook gold?'

Mees schudde zijn hoofd. 'Nee. Ze was juist heel ervaren. Ze wist precies wat ze moest doen. Het ging vanzelf.'

Bernd glimlachte. 'En nu denk jij dat het door haar ervaring komt, want echt spannend vond je het niet.'

'Zoiets ja.'

'Heb je er samen over gepraat?'

'Nee.' Het kwam er heel stellig uit.

'Heb je er überhaupt met iemand over gepraat?'

'Kirsten weet dat ik twijfel.'

'Maar verder niemand?'

'Nee.' Mees wriemelde aan zijn shirt. 'Jij bent de eerste.'

Bernd stond op. 'Ik geloof dat ik toch iets te drinken haal. Koffie, thee, fris?'

'Fris graag.'

Het was fijn om met Bernd te praten. Hij luisterde echt. Met een paar woorden, een gebaar of een blik wist hij Mees op zijn gemak te stellen. Ook Bernd vertelde dingen. Hoe hij erachter kwam dat jongens toch veel leuker waren. Hoe verdrietig hij was toen hij het zijn vriendin vertelde. 'Zorg dat het nooit zo ver komt,' zei hij. 'Want zoiets is vreselijk.'

Mees dacht aan Natalja. Aan haar overrompelende houding. En hij besefte dat niet hij, maar zij de touwtjes in handen had. Dat niet hij haar verleid had, maar zij hem. Dat hij zich liet meevoeren door haar grillen.

Hoe meer Bernd over zichzelf vertelde, hoe beter Mees zichzelf ging begrijpen. Er waren altijd al aanwijzingen geweest. Kleine dingen, onnozele dingen, maar nu hij ze op een rijtje zette, kregen ze betekenis.

'Moeders hebben het vaak eerder door,' zei Bernd en hij vertelde over de gesprekken met zijn eigen moeder. Hoe stellig hij het ontkend had. Geschreeuwd had dat het niet waar was. Dat ze moest ophouden met die idiote praatjes. Maar hoe heftiger hij reageerde, hoe meer hij de waarheid verried.

'Mijn moeder voelt het ook,' zei Mees. 'Ze vroeg het vorige week.'

'En?'

Mees nam een slok. 'Hetzelfde verhaal.'

Bernd lachte. 'Herkenbaar dus.'

'Ja.' Ondanks alles moest ook hij lachen.

'En nu?' Bernd veegde wat kruimels van tafel.

Mees haalde zijn schouders op en voelde zijn ogen nat worden. 'Kweenie.'

'Ik kan je geen kant-en-klare oplossing geven,' zei Bernd.

'Maar hoe kom ik er dan achter of het echt zo is?'

Bernd glimlachte. 'Ik kan je hooguit zeggen wat je zou kunnen doen.'

Mees keek op.

'Ik denk dat Kirsten gelijk heeft,' zei Bernd. 'Je kunt alleen een eerlijke keuze maken als je het ook met een jongen hebt gedaan. Pas dan weet je het zeker.'

'Ik zou niet weten hoe,' mompelde Mees. Alleen de gedachte al maakte hem nerveus.

'Ik wel,' zei Bernd. 'Jij gaat vanavond stappen.'

'Maar waar dan? En met wie? Ik...'

Bernd viel hem in de rede. 'Dat ga ik je allemaal vertellen. Maar eerst bel je Kirsten.'

'Kirsten?'

'Ja, als zij echt zo'n goede vriendin is, dan kan ze je helpen.'

Even later zat Mees met zijn telefoon aan zijn oor en sprak met Kirsten. Ze was verbaasd toen hij haar uitlegde waarom hij belde, maar ze klonk niet afwijzend. 'Dus jij wilt vanavond met mij de stad in?'

'Ja.' Mees keek naar Bernd, die hem bemoedigend toeknikte.

'Naar een gay-tent?'

Mees slikte. 'Ja. Gewoon wat drinken samen.'

'En dan?'

'Niets. Kijken.'

'Maar waarom met mij?'

'Ik durf niet alleen. Stel je voor dat...' Hij keek naar Bernd. 'Geloof me, met jou erbij is het veiliger. Je zei zelf dat ik het moest uitzoeken.'

'Jawel, maar ik heb al met Job afgesproken.'

Er viel een stilte.

'Alsjeblieft,' zei Mees. 'Ik weet zeker dat het helpt.'

'Oké. Ik bel Job wel.'

Mees schrok. 'Je gaat hem toch niet vertellen dat ik...' Hij stokte.

'Nee. In principe niet. Maar als ik onze afspraak afzeg, ga ik ook niet liegen.'

'Kirsten, alsjeblieft.' Mees dacht na. 'Hoe laat had je afgesproken met Job?'

'Tien uur.'

'Oké, dan zorgen we dat we voor die tijd terug zijn, goed?'

Het bleef even stil aan de andere kant van de lijn.

'Dat kan toch wel?' vervolgde Mees.

Hij hoorde een diepe zucht.

'Maar Natalja dan?' vroeg Kirsten. 'Weet die het?'

Mees schrok. 'Nee, natuurlijk niet.' Hij dacht na. 'Ik zeg wel dat ik naar mijn oma moet. Ze heeft niets met familiegedoe, dus dat komt goed.' Vanuit zijn ooghoeken zag hij Bernd glimlachen en hij wist waarom. Het feit dat hij zo makkelijk een avond met Natalja cancelde, gaf te denken. 'Please, Kirs. Je moet mee. We moeten dit uitzoeken.'

'We?'

'Ik! Ik moet dit uitzoeken. Maar daar heb ik jou bij nodig.'

Kirstens antwoord kwam toch nog onverwacht.

Ze was net zo zenuwachtig als hij leek het wel. Kirsten ratelde onderweg aan één stuk door. Hoe het zou zijn, wat voor types er rondliepen, of het niet gevaarlijk was. 'Misschien zien we er wel bekenden,' zei ze giechelend. Mees had haar verteld over zijn gesprek met Bernd en wat hij had voorgesteld. 'Het is een prima café om te beginnen.'

Ze zetten hun fietsen op slot en liepen de smalle straat in waar het café zich moest bevinden. Twee mannen in leren broek passeerden hen.

'Dat waren geen motorrijders,' fluisterde Kirsten. Ze pakte zijn hand vast.

Even later stonden ze voor de ingang van het café. De deur ging open en een groep mannen kwam naar buiten. Mees deed een stap opzij en liet de groep passeren. De laatste man hield de deur open. Kirsten nam het over. 'Bedankt,' zei ze en ze stapte naar binnen. Mees kon niet anders dan volgen.

Het was best wel druk. Er klonk muziek en hier en daar werd meegezongen. Kirsten trok Mees mee naar twee lege krukken bij de bar en ze gingen zitten. Terwijl Kirsten twee cola bestelde, keek Mees om zich heen. Het voelde vreemd, maar tegelijkertijd heel gewoon. De sfeer was goed. Er werd gelachen, gepraat, gedronken. Als je niet beter wist, was het een café als alle andere. Met dat verschil dat de meeste gasten mannen en jongens waren. 'Ze zijn zo verschillend,' fluisterde Kirsten en Mees wist wat ze bedoelde. Er was een groot verschil in uiterlijk tussen de bezoekers. In de hoek stonden mannen in leren pakken waarbij je hun ontblote bovenlijven goed kon zien. Bij het raam zat een stel jongens van een jaar of achttien, negentien. Ze zagen er tiptop uit, modieus en met strak gekamde haren. Aan de bar stonden oudere mannen. Zo te zien hadden ze al aardig wat gedronken, want hun stemmen klonken luid en brallerig. De twee mannen in pak die achter in de zaak half in het donker stonden, hadden alleen maar oog voor elkaar. Mees zag dat ze elkaar zoenden en hij voelde een lichte steek in zijn buik. Snel keek hij de andere kant op.

De barman zette de twee glazen neer. 'Nieuw hier?' Hij gaf Mees een knipoog.

'We kwamen toevallig langs,' zei Kirsten.

'Lief van je, meissie,' zei de barman.

'Hij is mijn vriend. We zijn hier samen.'

'Ja, ja, dat zeggen ze allemaal.'

Mees voelde zich behoorlijk opgelaten. Kirsten hoefde niet te overdrijven.

De man veegde de bar schoon met een droge doek en lachte. 'Zo'n eerste keer is best spannend.'

Terwijl hij naar de andere kant van de bar liep om een bestelling op te nemen, boog Mees zich naar Kirsten.

'Ietsje minder mag ook wel, hoor.'

'Zeg dan zelf ook wat,' zei Kirsten. 'Ik doe mijn best.'

Mees knikte. 'Sorry, maar ik geloof dat hij het door-heeft.'

Kirsten keek om zich heen. 'Ik vind het hier best ge-zellig.' Ze nam een slok van haar cola. 'En jij?'

Mees knikte. Het was minder eng dan hij had gedacht. De tijd vloog om. Ze raakten in gesprek met een paar jongens en Mees zag dat ook Kirsten het leuk vond. Ze genoot zichtbaar van de gezellige sfeer. Af en toe wissel-den ze een blik om te polsen of het goed ging.

Tegen negenen maakte ze Mees erop attent dat ze moesten gaan. 'Job komt me zo halen.'

Mees knikte. Hij wilde best blijven, maar zonder Kir-sten was dat net een stap te ver.

'Ik ga even naar het toilet.' Kirsten stapte van haar kruk af en pakte hem vast. 'Oei, die is knap,' fluisterde ze. 'Achter je.' Ze liet hem weer los en verdween naar achteren.

'Is zij je zus?' vroeg een vreemde stem achter hem.

Mees draaide zich om en voelde dat hij een kleur kreeg. De jongen glimlachte. 'Ze lijkt wel op je.'

'Nee, mijn vriendin,' antwoordde Mees. 'Een vrien-din,' verbeterde hij zichzelf. Hij schrok van zijn eigen woorden.

De jongen legde zijn hand op Mees' arm. 'Nog wat drinken? Hetzelfde?'

Mees voelde de hand van de jongen op zijn huid bran-den. Werd hij nu versierd?

Voordat Mees kon antwoorden, had de jongen zich al omgedraaid en bestelde twee cola. Mees had een goed zicht op zijn lichaam. Kirsten had gelijk. Hij was prachtig.

Mees voelde zijn hart sneller slaan. Hij kon er niets aan doen. Een verschrikkelijk verlangen maakte zich van hem meester en hij voelde zijn handpalmen nat worden. Was het hier nu zo heet?

Op het moment dat de jongen hem zijn drankje overhandigde en naast hem kwam zitten, kwam Kirsten terug. Heel even aarzelde ze toen ze haar kruk bezet zag, maar toen pakte ze haar jas en liep in de richting van de deur. Mees volgde haar met zijn ogen. Ging ze nu weg? Nee toch! Een gevoel van paniek overviel hem.

'Ik ben Bob.' De jongen lachte en Mees zag een rij spierwitte tanden.

'Mees.' Vanuit zijn ooghoeken zag hij dat Kirsten bleef staan en hem een kushand toewierp.

Bob keek om. 'Gaat je vriendin weg?'

'Ik geloof het wel, ja.' Mees stak zijn hand op. Zijn maag keerde om. 'Blijf!' wilde hij schreeuwen, maar er kwam geen geluid uit zijn mond. Hoe kon ze dat nou doen?

Bob nestelde zich op zijn kruk. 'Zo, vertel. Waar kom jij zomaar ineens vandaan?'

Mees zag dat Kirsten haar duim opstak en verdween. 'Eh... van huis.'

Bob schoot in de lach en ook Mees moest lachen om zijn knullige antwoord. Dit kon beter. 'Ik ben hier voor het eerst.'

'Dat hadden we al begrepen,' zei Bob. Hij gaf Mees een knipoog. 'Heb ik even mazzel dat ik een drankje ging doen.' Zijn donkere ogen glinsterden en Mees wist dat zijn twijfel weg was. Dit kon wel eens een heel leuke avond worden.

Hoofdstuk 13
Zeker weten

'En?' Kirstens stem klonk nieuwsgierig. 'Hoe was het?'
Mees wreef in zijn ogen. 'Ik slaap nog.'
'Vertel nou.'
Mees werd langzaam wakker. De herinneringen aan gisteravond kwamen naar boven.
'Was-ie leuk? Hebben jullie gezoend? Je vond hem leuk, hè?'
'Ho, ho, rustig.' Mees kwam overeind. 'Laat me nadenken.' Hij wachtte even. 'Ja, ja en ja,' zei hij toen.
'Huh?'
'De antwoorden op je vragen.'
Het bleef even stil, maar toen klonk er een gil. 'Echt? Whaaaa! Dus je hebt gezoend?'
'Ja.' Mees glimlachte.
'Met die jongen?'
'Ja.' Mees zuchtte. 'En het was super. Ik heb nog nooit

zo lekker ge...' Hij stokte. 'Sorry, zo bedoel ik het natuurlijk niet.'

'Geeft niet. Vertel verder.'

Mees was blij dat Kirsten het zo goed oppakte. 'Hij heet Bob en hij is heel leuk.'

'Bob en Job.' Kirsten lachte. Mees kon horen dat ze blij was.

'Dus nu weet je het zeker?'

'Ja!' Het kwam er zonder aarzeling uit. 'Ik weet het zeker.'

'Geinig! Mijn beste vriendje is homo!'

'Zo zou ik het niet willen noemen,' zei Mees, maar hij kon een glimlach niet onderdrukken. 'Het is allemaal verwarrend genoeg.'

'En nu? Ga je het zeggen? Ik wil er wel bij zijn, hoor.'

'Jeetje, Kirsten. Ik ben net wakker. Ik weet niet of...'

'In de kast blijven zitten, helpt niet,' viel ze hem in de rede. 'Je moet eruit.'

'Eruit,' herhaalde Mees en hij bedacht dat hij heel wat mensen in te lichten had. Allereerst zijn ouders en Thomas. Hij dacht aan het gesprek met zijn moeder en glimlachte. Het was doodeng, maar het zou wel goed komen.

'Wat zeg je tegen Natalja?'

Mees schrok. Daar had hij nog niet over nagedacht. Hij had eigenlijk nog helemaal niet bedacht hoe het verder moest. Wie hij wat moest vertellen.

'Laat me maar even, goed? Ik bel je vanavond na de wedstrijd.'

'Dat is goed. Doe voorzichtig.'

'Ja.' Hij wilde de verbinding verbreken, toen Kirsten nog iets zei. 'Mees?'

'Ja?'

'Ik ben blij voor je.'

'Thanks.' Hij drukte de verbinding weg en besefte dat 'blij' niet echt paste bij wat ging komen. Maar er zat niets anders op. Hij viel op jongens, of hij dat nou wilde of niet.

Mees liet zich achterover op zijn kussen vallen en staarde naar het plafond. Hij vocht tegen zijn tranen. Hoe fijn het ook was gisteravond, en hoe blij hij was dat hij nu zekerheid had, het deed pijn om te beseffen dat hij was wie hij was. Dat de wereld voor altijd was veranderd, omdat hij was veranderd.

Mees sloeg het dekbed van zich af en stapte uit bed. Afscheid nemen deed pijn. Dat kon zelfs zijn verliefdheid niet goedmaken. Maar zowel Bernd als Bob had hem verzekerd dat het wende. Dat de pijn en de onmacht langzaam zouden verdwijnen als hij maar eerlijk was tegen zichzelf.

Hij liep de badkamer in en leunde op de wastafel. Hij dacht aan zijn ouders, zijn opa en oma, aan Natalja, Job, Suze, iedereen op school. Aan zijn elftal. Waar haalde hij de kracht vandaan om het ze te zeggen? Het leek onmogelijk, maar hij had geen keus.

'Als de mensen van wie je houdt je steunen, kun je de hele wereld aan,' had Bob gezegd en dat gaf hem hoop. Want die mensen waren er en hij zou ze hard nodig hebben.

Mees keek op en zag zichzelf in de spiegel. Dit was wie hij was, en daar moesten ze het mee doen.

Er werd op de deur geklopt. 'Ben jij daar, Mees?' Zijn moeders stem deed hem glimlachen. Hij haalde diep adem. Zijn coming-out kon beginnen.

Meer weten?

Het COC

is een federatie van 21 regionale lidverenigingen. Er is dus altijd een COC bij jou in de buurt! De lidverenigingen geven bijvoorbeeld LHBT-voorlichting op scholen, organiseren sociale activiteiten, werken met politie en justitie aan veiligheid en doen aan lokale en regionale belangenbehartiging.

Het COC steunt jongeren die zich actief inzetten voor acceptatie van LHBT's. Zo zijn er de Gay-Straight Alliances (GSA's) waarin heteroseksuele, lesbische, homoseksuele, biseksuele en transgender-leerlingen samenwerken aan een LHBT-vriendelijke school met een tolerante sfeer. Als de school daar niet voor openstaat, neemt het Roze Olifant-team desgevraagd contact op met de schoolleiding.

De Jong&Out community biedt LHBT-jongeren de mogelijkheid elkaar te ontmoeten en via het GSA-docentennetwerk ontwikkelen leerkrachten ideeën om de acceptatie van homoseksualiteit en transgenders op school te verbeteren. Natuurlijk zorgt het COC ook voor voorlichting in de klas en hebben ze met *Expreszo* een sterke jongerenorganisatie en een mooi magazine.

Web: www.coc.nl
Mail: info@coc.nl
Tel: +31 (0)20 – 623 45 96 (op werkdagen van 09.30 tot 17.00)

Er is ook een COC bij jou in de buurt:
COC Amsterdam
COC Deventer e.o.
COC Eindhoven en regio
COC Friesland
COC Groningen & Drenthe
COC Haaglanden
COC Kennemerland
COC Leiden
COC Limburg
COC Midden-Gelderland
COC Midden-Nederland
COC Nijmegen
COC Noord-Holland Noord
COC Noordoost Brabant
COC regio Breda
COC Rotterdam
COC Tilburg

COC Twente/Achterhoek
COC West-Brabant-West & Tholen
COC Zeeland
COC Zwolle

Jongenout.nl

is dé gratis community voor homo's, lesbo's, bi's en transgenders tot en met achttien jaar. Op deze site kun je in contact komen met andere jongeren die je snappen omdat ze net als jij zijn! www.jongenout.nl

Respect2Love.nl

is de multiculturele community van het COC voor nieuwe ontmoetingen en interessante gesprekken ongeacht je culturele achtergrond. Homoseksualiteit is niet altijd vanzelfsprekend. En als je omgeving je niet accepteert zoals je bent, is het niet eenvoudig je seksualiteit uit te dragen. Respect2love is dé plek waar jij terechtkunt. www.respect2love.nl

Expreszo

is een landelijk magazine dat zes keer per jaar uitkomt en door veel lesbische, homoseksuele, biseksuele en transgender-jongeren wordt gelezen. Sinds juni 1995 is *Expreszo* gelieerd aan de Federatie Nederlandse Vereniging tot Integratie van Homoseksualiteit COC te Amsterdam. *Expreszo* houdt kantoor bij het COC, aan de Nieuwe Herengracht 49. www.expreszo.nl

Winq

is een tijdschrift dat zich richt op homojongens en -mannen.
www.winq.nl

Iedereenisanders.nl

Heb jij twijfels of vragen over op wie jij valt: op meisjes, jongens of allebei? Twijfel je over wie jij bent: meer een meisje, meer een jongen? Of ben je eruit en wéét je dat je homoseksuele, lesbische, bi- of transgender-gevoelens hebt? Dan is iedereenisanders.nl dé plek voor jou. Hier vind je de beste info en tips over 'anders' zijn.

Homoindeklas.nl

gaat over geloof en homoseksualiteit. Je kunt hier filmpjes bekijken, allerlei vragen en antwoorden lezen en bekijken welke websites nog meer interessant voor je zouden kunnen zijn. De website hoort bij de lesbrief *Homo in de klas*. Deze lesbrief wordt gebruikt op diverse christelijke scholen in Nederland. Zowel in de klassen van het vmbo als van havo en vwo. Misschien heb je zelf de lessen al gehad of krijg je die nog.

Sla snel om voor een voorproefje van Ademnood!

Moon

'Moon! Rustig blijven.'

De stem van meneer Adel overstemt het geroezemoes in de klas. Ik probeer me te concentreren op mijn ademhaling. Rustig? Hoe doe je dat als je lichaam op hol is geslagen en je alle controle kwijt bent? Ik voel hoe ik moet vechten om lucht in mijn longen te krijgen.

'Focussen, Moon! Niet te snel ademen.'

Ik hap naar adem. Mijn wiskundeleraar heeft gelijk. Ik ben de baas! Het mag niet weer fout gaan. Ik voel mijn borst op en neer gaan. Dat is niet goed. Ik moet dieper ademen, mijn buik gebruiken. Ik weet hoe het moet, ik heb het geleerd. Waarom lukt het me niet?

Meneer Adel dringt aan. 'Adem diep in... en adem rustig uit. Adem in... en adem uit.'

Ik voel dat iemand mijn arm vastpakt. Het gezicht van Rose verschijnt in beeld. 'Moon, luister!'

Rose. Mijn beste vriendin. Tijdens wiskundeles zitten we naast elkaar, vooraan, middelste rij. Vlak bij het bord. Wiskunde is saai, maar vandaag niet. 'Waar is je zakje?'

Zij is net zo bang als ik. Dat hoor ik aan haar stem. Ik knipper met mijn ogen en schud mijn hoofd.

Het gezicht van Rose verdwijnt en ik zie dat ze mijn tas pakt die onder tafel staat. Sinds de vorige aanval heb ik altijd een plastic zakje bij me. Dat weet Rose. Ik vertel haar altijd alles. Plastic zakjes zijn belangrijk. Ze weet van Theo waar ik twee keer per week heen ga om te praten. Eigenlijk is het gewoon therapie, maar dat woord vermijd ik. THERAPIE is voor losers. Ik ben geen loser, ik heb alleen een tijdelijk probleem.

Het is nu een maand geleden dat ik bijna verdronken ben. De herinnering aan het moment onder water waarop ik besefte dat ik nooit meer boven zou komen, dat dit het einde was van mijn leven, maakt me nog steeds misselijk. De golven die me opslokten, de zanderige bodem die geen houvast meer bood, het tevergeefs vechten tegen de stroming... de angst die ik toen voelde is niet te beschrijven. Alles in mijn lichaam schreeuwde om hulp. Ik gilde en zwaaide om aandacht te trekken, maar de golven beukten mijn pogingen iedere keer stuk. Er was niemand die mij hoorde of zag. Mijn vrienden lagen tientallen meters verderop in het mulle zand. Ik was alleen de zee ingegaan, dacht dat het wel kon. Ik kon toch goed zwemmen? Maar de stroming was te sterk. Het zoute water liep mijn neus, mond en oren binnen. Mijn ogen prikten. Ik slikte water in en voelde een brandende pijn achter in mijn keel. Het enige wat ik kon doen was mezelf overgeven aan de golven. Niet meer vechten, niet meer zwemmen... totale overgave. Zwart.

Het eerste wat ik me weer herinnerde was dat ik op het strand lag en een warme golf zeewater uitspuugde. Een man zat over me heen gebogen, zijn handen gekruist op mijn borstkas. De ritmische druk stopte en hij lachte.

'Daar ben je weer.'

Ik proefde zout en zuur tegelijk. De man was een jaar of dertig, gebruind, blond haar en een vriendelijk gezicht. 'Dat is even schrikken,' zei hij met opgeluchte stem. 'Gaat het?'

Ik knikte en kwam langzaam overeind. Het drong toen pas tot me door dat er mensen om ons heen stonden. Op de achtergrond hoorde ik bekende stemmen. Mijn vrienden kwamen eraan.

De man kneep in mijn hand en stond op. 'Je redt het wel.'

Zijn gezicht stond op mijn netvlies gebrand. Hij verdween toen mijn vrienden arriveerden. Ik zag hem weglopen, probeerde nog iets te zeggen om hem te bedanken, maar hij hoorde me niet meer. Zonder hem was ik er niet meer geweest. Die dag besefte ik dat water gevaarlijk is. Dat water je kan verzwelgen. Dat water sterker is dan wat dan ook. Het maakt me nog steeds bang.

'Shit, ik kan dat zakje niet vinden.' Rose stoot me aan. 'Waar is dat zakje, Moon?'

Ik zie het bezorgde gezicht van meneer Adel. Mijn longen zitten vol lucht. Toch heb ik het gevoel dat ik stik. Net als in die golven. Ik buig voorover. Mijn knieën zoeken steun tegen de tafelpoten. Ik wil niet vallen en klem me vast aan de tafel. Ik ben in het wiskundelokaal. Er zijn geen golven.

'Adem in... adem uit.' Meneer Adels stem klinkt dwingender, harder.

Mijn hoofd bonkt. Ik hoor mijn nagels over het tafelblad krassen en glijd naar achteren.

'Ze gaat vallen!'

'Hou haar vast.'

'Ruimte maken.'

Het geschreeuw maakt me bang en ik verkramp. Er wordt geroepen, stoelen verschuiven, handen grijpen me vast. Ik verlies de controle over mijn lichaam. De stemmen vervagen en ik laat me meenemen naar het donker. Ik kan niet anders.

Mist. Grijze dikke mist. Ik zie schimmen en hoor gefluister. Een golf van onmacht overspoelt me. Wat gebeurt er? Wie is daar?

Langzaam trekt de mist op.

'Je kunt vertrekken!' Meneer Adel staat met uitgestrekte arm bij de open deur van het wiskundelokaal.

'Maar ik heb niets gedaan.' Er klinkt gelach en ik zie Thomas, een jongen uit mijn klas. 'Dit is echt belachelijk,' roept hij.

Meneer Adel sluit de deur en het wordt stil.

Weer die mist.
Stilte.
Een ijsje doemt op uit de mist. Twee bolletjes op een hoorn. Een muntstuk van twee euro rolt over een glazen plaat. Het beeld vervaagt en de stilte komt terug. Langzaam trekt de mist op.

'Moon?' De stem van Rose klinkt helder.

Ik open mijn ogen en kijk recht in het gezicht van meneer Adel. Zijn handen liggen gevouwen rondom mijn mond. Ik hoest en hij trekt zijn handen terug.

'Blijf maar even liggen,' hoor ik meneer Adel zeggen. Langzaam dringt het tot me door dat ik op de grond lig. Tussen de tafels van het wiskundelokaal. Mijn blik valt op een grote bal kauwgom die onder een van de tafels is geplakt. Getver!

Ik kijk omhoog en zie de nieuwsgierige blikken van de klasgenoten die boven me hangen. Mijn keel prikt en ik hoest nog een keer.

'Kan iemand een glaasje water halen?' Rose zit naast me op de grond. Ze houdt mijn hand vast. 'Gaat het?'

Ik wil knikken, maar kom niet ver met mijn hoofd. Mijn nek voelt stijf aan, alsof ik uren in een verkeerde houding heb gelegen.

'Er zit geen zakje in je tas,' gaat Rose verder en ik zie dat ze pissig en geschrokken tegelijk is.

'Sorry,' stamel ik. Het klinkt zachter dan ik wil. 'Vergeten.'

Ik ga rechtop zitten en iemand overhandigt me een

glas water. Ik wil het aannemen, maar mijn vingers hebben nog geen kracht. Het glas kantelt en ik voel mijn shirt nat worden. Mijn borstkast gaat op en neer. Er loopt water langs mijn pols en ik staar naar de druppels water die op de grond uiteenspatten. Mijn hart bonkt. Water.

Het glas wordt uit mijn handen gerukt en Rose veegt mijn hand droog met de mouw van haar trui. Ik ontspan. Het zijn druppels, gewoon een paar druppels water die gemorst zijn. Je kunt niet verdrinken in een druppel. Dat weet ik heus wel. Toch ben ik blij dat Rose ze wegveegt met haar voet. De natte streep op de grond vervaagt.

Meneer Adel helpt me overeind en iemand schuift een stoel onder mijn benen zodat ik kan gaan zitten. Ik voel me slap en ontzettend stom.

'Heb je dit wel vaker?' De stem van meneer Adel klinkt vriendelijk, maar zijn ogen kijken onderzoekend. Mijn hersenen draaien op volle toeren. Iedereen weet dat ik bijna verdronken ben, maar niemand weet dat ik sinds die tijd bang ben voor water. Laat staan dat ik verteld heb over mijn angstaanvallen en therapie. Alleen Rose weet dat. Zij heeft gezocht naar een plastic zakje in mijn tas. Ik kan dus moeilijk zeggen dat dit de eerste keer is. 'Ja, één keer,' lieg ik. Een snelle blik naar Rose is voldoende. 'Mevrouw Hanen, onze mentor, weet het,' leg ik uit.

'Misschien toch goed om dit alle leraren te melden,' zegt meneer Adel.

Ik knik gelaten.

'Ik schrok me dood,' zegt Zora, die achter me zit. Ze wrijft met haar hand over mijn schouder. 'Gaat het weer een beetje?'

Ik glimlach en hoop dat meneer Adel verdergaat met zijn les.

'Je ging helemaal out,' roept Thomas. 'Cool!'

'Thomas!' De bestraffende toon van meneer Adel legt Thomas het zwijgen op.

'Ik vond het eng,' zegt Barbara.

'Ja, ik ook!' Marina, de vriendin van Barbara, trekt een vies gezicht. 'Je leek wel dood. Echt, je gezicht was helemaal wit en je ogen...'

'Moon heeft last van hyperventilatie,' valt meneer Adel haar in de rede. 'Dat lijkt erg, maar op zich is het heel onschuldig. "Hyper" betekent "te veel" en "ventilatie" betekent "ademen". Hyperventilatie is dus eigenlijk te snel ademen.'

'Van te veel zuurstof word je dus high?' Thomas kijkt triomfantelijk.

Het wordt stil in de klas.

'Wat jij nu zegt, Thomas, is niet juist.' Meneer Adel kijkt op zijn horloge. 'We hebben nog een paar minuten tot de bel gaat. Misschien is het wel zinvol als ik dit wat nader toelicht.'

Aan de verschillende reacties te zien, zijn de meningen verdeeld, maar meneer Adel bedoelde dit niet als vraag en gaat onverstoorbaar door. 'Het zuurstofpeil van je bloed blijft nagenoeg altijd constant. Als je dus te snel ademt, hou je wel je zuurstofpercentage op peil, maar je verliest te veel CO_2 bij het uitademen, oftewel je koolstofdioxidepeil daalt.'

Hier en daar klinkt gezucht, maar meneer Adel laat zich niet afleiden. 'Wie dus hyperventileert wordt duizelig, heeft tintelingen in vingers, handen en lippen en vaak voel je ook een druk op je borst.' Hij kijkt mij aan, maar ik reageer niet echt. Wanneer houdt zijn lesje op? Kan die man niet gewoon doorgaan met zijn wiskundeles?

'Kan iedereen dat krijgen?' vraagt Barbara.

'In principe wel,' antwoordt meneer Adel. 'Het komt vaak voort uit paniek. Als je ergens van schrikt of als je ergens bang voor bent.'

'Nou, dan mag u wel oppassen,' roept Thomas. 'Uw lessen zijn angstaanjagend eng. Straks zijn we allemaal aan het hyperen.'

Waarom zegt meneer Adel dit? Nu kan iedereen bedenken dat ik ergens bang voor ben. Dat ik in paniek raakte. Ik voel verschillende blikken op me gericht, maar probeer zo neutraal mogelijk te kijken.

'Om hyperventilatie te stoppen,' gaat meneer Adel verder, 'moet je het koolstofdioxidegehalte weer laten stijgen. Jullie zagen wat ik deed bij Moon. Ik legde mijn handen over haar neus en mond, zodat ze haar eigen adem weer opnieuw kon inademen. Uitgeademde lucht bevat immers voldoende zuurstof, maar het gehalte aan koolstofdioxide is hoger, waardoor de longen minder koolstofdioxide zullen afgeven.'

'Dus daarom vroeg Rose om een plastic zakje,' roept Zora, die zich tot Rose wendt.

Rose knikt, maar zegt niets.

'Vet!' Thomas zit rechtop en zijn ogen stralen. 'Even oefenen met zijn allen? Gewoon voor de lol. Lijkt me geinig. We kunnen maar beter voorbereid zijn.'

Er wordt gelachen en ik voel me ellendiger dan ooit. Het is geen spelletje.

Thomas is niet te stoppen en stoot Job aan die naast hem zit. 'Even tweetallen maken. Ik ga out, jij redt mij, goed?' Hij haalt een paar keer snel adem. 'Hoelang moet zoiets, meneer?'

Ik zie dat een paar kinderen al druk bezig zijn met het experiment en Thomas' voorbeeld volgen.

'Ik geloof niet dat ik uitgepraat was.' De stem van meneer Adel buldert door het lokaal. 'En Thomas, ik vind jouw reactie beneden alle peil. Ik denk niet dat Moon dit als geinig ervaart.'

Hier en daar wordt instemmend gemompeld.

'Eén keertje,' roept Thomas.

'Thomas, klaar nu!'

Maar Thomas houdt vol. 'Ervaringsonderwijs, zeg maar.'

'Je kunt vertrekken!' Meneer Adel staat met uitgestrekte arm bij de open deur van het wiskundelokaal.

'Maar ik heb niets gedaan,' roept Thomas verbolgen. Er klinkt gelach en Thomas loopt naar de deur. 'Dit is echt belachelijk.'

Meneer Adel sluit de deur en het wordt stil.

Ik voel dat mijn adem stokt. Het is precies zo gegaan als ik daarnet heb gezien toen ik het benauwd had.

173

'Gaat het?' Rose legt haar hand op mijn arm.

'Eh... ja, ja.' Ik concentreer me op meneer Adel, die naar zijn tafel loopt. De bel gaat. Tassen worden gepakt, stoelen verschoven.

'Hoe kwam het nou?' vraagt Rose.

'Het is er opeens,' antwoord ik, terwijl meneer Adel het huiswerk voor de volgende les op het bord schrijft.

'Dinsdag een SO over paragraaf drie,' roept meneer Adel boven het geroezemoes uit.

'Maar...' Rose komt dichterbij. 'Je zegt zelf dat een aanval altijd een reden moet hebben.'

Ik open mijn agenda en krabbel een drie bij de dinsdag. 'Laten we er maar over ophouden,' zeg ik vastbesloten. 'Het gebeurt niet meer!'

'Ik hoop het voor je,' zegt Rose die haar agenda in haar tas propt. 'Ik zou er de kriebels van krijgen.'

'Thanks.' Ik sta op en rits mijn tas dicht. 'Lekker opbeurend.'

Diep vanbinnen weet ik wel degelijk waarom het mis is gegaan. Maar ik kan het niet zeggen. Zelfs niet tegen Rose. Het beangstigt me dat een opgave in het wiskundeboek over de inhoud van een zwembad, het aantal liters water dat nodig is om een zwembad te vullen, me zo veel angst heeft bezorgd. Ik schaam me, en tegelijkertijd ben ik bang. Bang dat ik hier nooit meer vanaf zal komen.

Dit boek lees je in één adem uit!

Moon is 16 en heeft iets gruwelijks meegemaakt: ze is bijna verdronken in zee. Sindsdien is ze bang voor water en heeft ze last van paniekaanvallen. Als ze hyperventileert ziet ze dingen die nog staan te gebeuren. Hierdoor weet Moon meer dan haar lief is.

In deze woelige tijd leert ze Vince kennen. Hij is ontzettend leuk en begrijpt haar. Wanneer ze tijdens een aanval ziet dat hij vastzit onder water, raakt Moon in paniek. Ze móét hem vinden. Maar sinds haar ongeluk durft ze het water niet meer in.

Kijk op www.marionvandecoolwijk.nl voor meer boeken van Marion.